5
藤沢亨
麻辣教師
GTO

CONTENTS

Lesson33 愛的才能 5
Lesson34 徵選會 25
Lesson35 明星誕生 45
Lesson36 退職勸告 67
Lesson37 內山田廣志51歲的春天 87
Lesson38 那小子全都曉得！ 107
Lesson39 I LOVE YOU 127
Lesson40 第一次拜訪 147
Lesson41 妳比蝴蝶更美麗 167

GTO

你說大奶妹呀？
啊，不行不行。她簡直笨得可以。
Lesson33
愛的才能

而且體育又爛得要命，
打排球的時候發球還會打到臉！
剛開始還以爲她是故意的。
你相信嗎——？哇哈哈哈！
馬拉松比賽的時候她第二天早上才跑回來，害我們以爲她失蹤，弄得全部的人雞飛狗跳。（笑）
像摸擬考的時候，每次都距離低標還差10分以上。
要故意考到這種成績還不簡單哎。
答案卡上隨便畫一畫，應該也有10分吧？以機率來說的話。
搞不好真的是故意的。
朋友？
她有朋友嗎？
每次都是一個人上廁所。
女生都因爲她太笨，非常討厭她。
可以說只要跟她講話就一肚子火。
不過，如果眞要說有的話，大概是相澤那一群吧。
沒錯。不過感覺上就像奴隸跟女王一樣。
哇哈哈！有像，有像！
而且那個大奶妹，你不管跟她說什麼，她都好像沒在聽的樣子。
所以跟她在一起很無聊。

你說大奶妹呀？
啊，不行不行。她簡直笨得可以。
Lesson33
愛的才能

而且體育又爛得要命，
打排球的時候發球還會打到臉！
剛開始還以爲她是故意的。
你相信嗎——？哇哈哈哈！
馬拉松比賽的時候她第二天早上才跑回來，害我們以爲她失蹤，弄得全部的人雞飛狗跳。（笑）
像摸擬考的時候，每次都距離低標還差10分以上。
要故意考到這種成績還不簡單哎。
答案卡上隨便畫一畫，應該也有10分吧？以機率來説的話。
搞不好眞的是故意的。
朋友？
她有朋友嗎？
每次都是一個人上廁所。
女生都因爲她太笨，非常討厭她。
可以説只要跟她講話就一肚子火。
不過，如果眞要説有的話，大概是相澤那一群吧。
沒錯。不過感覺上就像奴隸跟女王一樣。
哇哈哈哈！有像，有像！
而且那個大奶妹你不管跟她説什麼，她都好像沒在聽的樣子。
所以跟她在一起很無聊。

真不曉得那種人究竟是為了追求什麼而活在世上？
健志！不可以使用暴力！
妳管我！死老太婆，我扁妳！
哇！老公～～～！
快點把錢拿出來！不然我就把這房子拆了！
別這樣！哥～～～！
少囉嗦！揍妳！
卡
ポンポン
沒錯，沒錯，一般都會有自己想要的東西呀。
好了，大功告成！

……
這什麼東東？
……～
茱莉安娜女郎呀。
好懷念喔。噹—噹噹啷噹，噹—噹噹啷噹，茱莉安娜～～東京～～～六本木～～～跳落跳落！
哇塞——！老師你好厲害喔！真的好像～～～！
超寫實的！
看吧～～？我這是在湘南海邊練出來的。
我在湘南可是有名的沙雕藝術家，不過只限於朋友之間。
老師，老師，你什麼東西都可以用沙做得出來嗎？
嗯——差不多啦。
像緊身衣女郎，或以前那種穿長裙的女學生。
哇塞，你好厲害喔，老師。
我也要做一個茱莉安娜女郎。
興奮
ポン
ポン
我以前的夢想就是和老姐像這樣堆沙堆到早上。

4

亂沒志氣的夢想。

野村 那妳呢？
妳有沒有什麼夢想或想要的東西？
看要什麼我做給妳。
咦？
我就不相信妳沒有。像什麼名牌呀，照相機呀，大哥大呀。
或是菅野美穗的全裸寫眞集。
這、這個我不想要……
嗯～～～ 嗯～～～ 嗯～～～
沒有耶～～～
沒有？起碼也有一個吧？
像費拉迦莫，香奈兒～～～
還是三節棍，雙節棍，阿波羅慢跑機～～
費拉迦莫
三節棍
香奈兒
雙節棍
ポンポン
嗯——嗯～～～我想一想～～～
嗯～～～ 嗯～～～ 嗯～～～
別那麼緊張，隨便什麼都可以啦～～～
不耐煩
嗯～～～如果眞要我講一個的話……

大概是…
朋友吧？
嘻。

這種的嗎？
ポンポン
我、我才不要這樣的～～～！
火星是個好所在，歡迎大家來玩！
朋友
我是來自火星MARS
請多多指教
做一個像人一點的啦～～～！
我才不要這種奇形怪狀的！
ポンポン
那就羅斯威爾事件的…
那、那是屍體好不好～～～！
那被FBI抓起來的外星人…
爲、爲什麼全部都是外星人～～～？
咦？不喜歡啊？
不喜歡～～～！
嗶嗶
嘎啦嘎啦
歡迎光臨～～～！
喧嘩
吵雜

300 350 500 550 700 650
我要一個味噌拉麵、煎餃還有啤酒。
要加蛋。
來！哪位點煎餃！
好的！味噌拉麵、煎餃、啤酒～～～！
啊，我要一盤炒青菜和五目蕎麥麵。
我要醬油拉麵！
好的！炒青菜、五目、醬油拉麵！
啊～～～真是不好意思！老師難得來我們店裡，卻沒時間好好招待！
老闆，錢放桌上。
好的，謝謝光臨！
啊，不用費心了，我只是順便過來看看而已。
可是，老師——
來，炒牛蒡絲！久等了！
……
朋子在學校表現怎樣？沒有給您添麻煩吧？
真是不好意思。
這孩子很笨吧？
啊？哪裡，沒添麻煩啦…
姐，好不好！趕快吃完好幫忙啊～～～
啊，好啦。

來！
ドン
咚
我們家什麼都沒有，就只有拉麵最多！請您品嚐看看！
喂，美智子！幫老師開瓶啤酒！
好好好！
朋子，趕快吃吃好幫忙！
哼！就會指使人！
好喔。，
啊，不好意思，我剛好也肚子餓了。
ガチャ
ガチャ
哇，好好吃喔！野村先生！
えんしょっ えんしょっ
……
喔，你真是個好老師！
好，再送你一顆蛋！
咻——呼嚕呼嚕
哇哈哈哈哈！
好了。迷你拉麵。
哈呼——！
哈呼——！

我吃了——！
妳還在幹嘛！朋子～～～！給3桌兩杯開水！
啊？喔、好！
慢慢吞吞的，要吃到幾年！動作快！趕快把這碗也端過去！
眞是的，這孩子就是這麼遲鈍！
做什麼事都笨手笨腳！
一點也不機靈！
滋！
カッカッ
眞不曉得是遺傳到誰…
不唸她，她就一直在發呆！
朋子，快點啦！裡面那桌客人開水還沒送！
可是，我們家每一個都是急性子呀。
……

磅啷~~~!
哇——~~~
對、對、對不起~~~!
朋子~~~!妳到底在幹什麼~~~!
擦擦擦
趕快跟客人道歉!
跟客人賠不是,再把盤子收一收!快啊朋子!
……
今天眞的很抱歉,老師。
難得你到我們家來…
我每次都是這樣…
!?

小時候還有一次，有個陌生人給我一顆糖，我就隨便跟他走。
去店裡幫忙又總是像今天這樣礙手礙腳…
呵呵~~~
每次都惹我爸我媽還有我姐他們生氣。
很呆對不對？啊哈哈！
很奇怪吧？家裡頭只有我一個這麼笨…
連我弟都常常罵我笨豬。哈！
小學的時候，功課和體育總是吊車尾。
因爲胸部大，常常有同學叫我乳牛。
還一副要喝奶的樣子。
大家好，我是科學怪人。
所以我只有這麼小的玩偶做我的朋友♡
我每次都像這樣子玩喔。
國小4年級時，阿雅問我要不要一起回家的時候，我眞的好高興。
阿雅人長得可愛腦筋又聰明，而且爸爸又是什麼大公司的老闆，
所以她肯找我跟她一起回家，眞的讓我心裡緊張又興奮。
我一直都很崇拜她…
如果能像阿雅一樣，那該有多好。
阿雅眞的很厲害唷。
她從小學高年級的時候就開始當學生會會長，
接力賽的時候跑最後一棒，還從最後一名拼命趕，跑到第一名哩！
眞是英雄人物。
好崇拜…

©水木プロ

因為阿雅有很多東西，
是我所沒有的……
……
老、老師，你拿我的內衣幹嘛？
還夾在大腿中間…
啊？沒、沒有，因爲實在太大了，不知不覺就……
哇哈哈哈！
……
可是，現在說什麼也沒用了。
因爲阿雅好像討厭我了。
這也難怪，像我這樣子的人……
哦呵呵～～～
嘿嘿。
活在世上可能一點價值也沒有…
啊哈哈！
……
今天謝謝老師光臨我們小店。
老師你好有意思喔。
有空常來玩呀。
慢走！

……
喂，野村，
妳要對自己有信心一點。
老師明白妳很崇拜相澤。
她有許多東西是妳所沒有的。
不過，
老師覺得妳身上也有許多特質，
是相澤所沒有的。
……
?

ポン
怎樣，野村！
妳就當作自己是被我騙了，
把妳的人生託付給我好嗎？
……
啊？
ドキッ
妳等一下！
站在這裡不要動！
知道嗎！
啊？喔、好…
ボーッ
30分後
哇哇哇哇
ボーッ
一小時後
哇咧！
ボーッ
妳還真的動也不動站在這裡等啊？
嗯…話是老師說的呀。

接好!
バサッ
!
中華料理
呼~~在吉祥寺找這套衣服還眞是要了我的老命!
跑了30家才搞定!累死我了!
……
聽好,禮拜六早上8點穿裡頭這套衣服到吉祥寺車站前面等我!
一定要喔!
……
我要製作一個全新的妳!
就像小室哲哉一樣♡
就這樣,拜拜!
哈哈哈!
先從「迎向燦爛的明天」的第一步做起!
我一定要改造成功!
製作一個全新的我……
咦?
等、等一下!老師,那到底是什麼意思啊?
你、你、你要怎麼製作?
喂!
啪噠啪噠
GOOD NIGHT!

16

ドテッ..
……
製作一個…
全新的我……？
JR 吉祥寺駅
……
……
……
……

……
……
……
……
↖大奶妹
!?

喂，那個人在幹嘛？
那身打扮，不是CUTY HONEY嗎？
角色扮演呀？
今天是不是有舉行什麼活動？
可是，這也未免太大膽了吧~~
妳是不是要去同人誌發表會？要不要一起走？
不嫌棄的話，我這裡還有一張入場券。
頭髮亂翹
手巾
紙袋
方型包包
1980圓的運動鞋
才、才、才不是！
小姐，怎樣？我請妳去咖啡。
前面那裡有咖啡雅座喔。
不、不用了！謝謝！
小姐，要不要到我們店裡來上班？免經驗，小費多，工作輕鬆喔…
請、請、請你找別人吧！
跟伯伯出去玩好不好？
不、不要！
老、老師到底想幹嘛？
叫我打扮成這樣站在車站前面！
（好好好丟臉！）
他昨天說的…要製製製作一個全新的我，到底是什麼意思…？
不安
(株)ACC.O
星探部部門
星探部長
HONEY大塚
!?
©永井豪／ダイナミックプロ

小姐，我是A片製作公司的，
希望妳可以跟我去片場♡
啊～～～～原來這就是你的用意！老師！
說要製作我…
不要！老師，救我！
不要怕！
笑一個，笑一個！
我車子停在前面，走吧！
要我穿這麼暴露的衣服站在街角，等有星探過來搭訕的時候就跟他走…
我只好下海了…那些A片演員，一定都是這樣子被找去拍A片的！
HONEY朋子～～遭遇空前危機～～！

……先、先生～～～
咻咻
啊——不要動好不好？
現在是最要緊的時刻。
嗯～～不錯，不錯！♡
妳化起妝來很成熟耶……♡
一點也不像國中生。♡
請、請、請問你們要把我載、載、載到哪裡去…？
妳放心、妳放心，我們不是壞人。♡
我們是受人之託，要把妳載去一個地方。我們只是平凡的小市民。
咦？受人之託？
旁邊有件衣服，妳把它換上。
啊？你、你說這個嗎？
唔…嗯…好看好看～～！♡
穿這樣比剛剛那什麼角色扮演好太多了！♡
頭帶也要綁起來。
卡沙
這、這樣子是嗎？
正點喔～～～天使臉孔魔鬼身材。♡
啪嚓
呵呵呵……
這種幼齒的，老頭子最愛了～～～！

保證一定紅！
……
繩子
鞭子
攝影機
面紙
!?
灌腸器
Lesson34
徵選會

這個小妞！♡
百年難得一見的瑰寶！
空白錄影帶
小鏡子
保險套
茄子
小黃瓜
他、他們究竟要把我帶到哪裡去？
最、最後我還是跟他們上車了。
上次那個地方在哪裡呀？
補粉
就在公園路那家賓館旁邊小巷子進去。
對喔。
老、老老老師說要製作一個全新的我，到底是什麼意思……？
難、難道真的是那所謂的色、色、色情…
嚥口水
唔咿！唔咿！
哇啊！
哎唷~~~怎麼又自己動起來了~~~
這小傢伙用太久已經不行了。得換個新的。
而且還有點臭。
震動震動
怎、怎麼辦……這些人果然是從事色情行業的。（那個動來動去的，以前男生有拿來學校給我們看過嘛。）啊啊，我一定會被他們把衣服扒光，去拍一些見不得人的錄影帶。

不對。可是，這也是沒辦法的事。誰叫我這麼笨，沒大腦，反應又這麼遲鈍，
老師一定是想告訴我，像我這種人只能在這種圈子裡頭生存……老師也說過我胸部那麼大……
看樣子，我只好
……
下海了……
可、可是…他們不曉得會怎樣對我…會不會痛呀…
JASRAC(出)9710602－701
轟！
唉唉…我好像變成了那隻叫多娜的乳牛…
沒錯，我就是一隻牛……一隻可以擠出一大堆奶的乳牛……
多娜多娜多～～娜多～～娜～♪
要被抓去賣～掉～了～～♪
是這樣唱嗎？

大家早—♡
哇~~~！阿雅~~妳打扮得好成熟哦！
好漂亮！
哇噢！
嘿嘿嘿！♡
這是我媽幫我買的~~~！
對不起啦，阿雅。沒徵求妳的同意，
就把妳的資料寄去報名徵選會。
人家只是想跟妳開個玩笑。
眞是的。把我嚇了一大跳！
知佳子，眞是敗給妳了。
莫名其妙的就接到一張通過第一次審核的通知書。
我還以爲是什麼東西呢。
對不起啦。因爲我眞的覺得妳太可愛了。
也不跟人家講一聲。妳還當我是朋友嗎？
嘴巴上這樣講，還不是暗爽在心裡？♡
哇哈哈哈！討厭~~~

不過知佳子，妳好可惜哦。
對不對？
是妳自己想報名那個徵選會，才寄過去的吧？
呃？
啊啊啊、才、才怪！我長得這麼醜，
怎麼可能選得上！
哈哈哈哈…
苦笑
哈哈…
…
嘩嘩
嘩
30
ユザワヤ
武藏野公会堂
AMATO
井之頭公園形象女郎
井之頭小姐
公開徵選會
嘩
好多人報名喔！
要從這麼多人中選一個優勝者。
這種地方性的徵選會，也有這麼多人來。
井之頭公園的形象女郎「井之頭小姐」，一聽這名字就覺得很遜。
哇哈哈！
後來我就──
然後那個星探就說──
哇──好多都是來陪榜的嘛。
啊，知佳子除外。
反正我也不是很想當什麼明星，
隨便表演一下……
嗯？

呃……？阿雅……？
啊──眞的是阿雅。
唔~~~頭好昏！
小、小櫻~~~？
妳、妳們怎麼會在這裡…呃！連、連班上那些臭男生也來了！
啊──眞的哎。
奇怪，阿雅，妳怎麼穿便服來？
我、我等一下要參加這個徵選會……
眞的假的~~~！好厲害哦！
那、那你們呢？你們又怎麼會到這裡來？
你們不是要上課嗎……
我怎麼知道！妳自己去問鬼塚那個神經病！
到學校去才發現教室貼了一張紙，
說什麼社會科校外觀摩，要我們到這裡集合。
我比妳更想知道原因！
啊？
社會科校外觀摩？
來這裡觀摩什麼？
喂──！全部人都到齊了嗎──？

好了，進場囉！
喂喂，鬼塚～～～！你到底想幹嘛？
進去這裡做什麼？
社會科校外觀摩呀。
我不是說了？
我把它命名為「演藝工業」的秘密♡
一個明星誕生的過程。
一、一個明星誕生的過程～～～？
這是什麼東西～～～？
這個企劃就是，把一個原本毫不起眼的女孩，
突然在某一天飛上枝頭變鳳凰的瞬間，用記錄片的形式實際呈現在大家面前。
怎樣？聽起來很好玩吧？
也就是說讓大家看到一個藝人誕生的那一刻。
什麼～～～！

明、明星？
咦？
咦？他是不是在說阿雅呀？
他知道阿雅要來參加徵選會…？
喂，英吉~~~！
喔——這邊，這邊。
怎麼那麼慢？道明。
對不起啦。♡半路上好死不死碰到警察臨檢——。
囉哩巴嗦問了一大堆，煩都煩死了。
哈囉！
怎樣？都搞定了嗎？
有我在，你安啦♡
雖然跟你指定的不太一樣，不過我可是以我的品味精心把她打扮了一番。♡
呼
這種一定比角色扮演更對那些老頭子的味。♡
瞧！
咦？
哇啊！
啪咚！

好痛～～～
大、大奶妹～～～？
妳、妳怎麼穿成這樣～～～？
穿著體育服從車子跑出來…
啊——主角已經來了，咱們可以進場囉。
啊……阿、阿、阿、阿雅。
呃？怎、怎麼大家都在？
咦？
歹勢啦，道明…
哎呀，客氣什麼？下次要跟人家約會喔。♡
不要吧？

等、等一下！
武蔵野公会堂
你説今天會飛上枝頭變鳳凰的女孩，難道是…
…咦？
沒錯！
就是野村！野村朋子！♡
!?
ポーンッ

什麼~~~！
大、大奶妹會變成明星~~~？
嗯！
真、真的假的~~~！
就、就算地球崩裂也不可能好不好~~~！
朋、朋子會變成明星…？
嗯———
咦？
什麼~~？我我我我會變成明、明星~~~？
ひぇー
我我我不是要被賣去拍A片嗎？
變成跟多娜多娜一樣…
A片？啊啊…那個呀。
車子上的——
那是這小子自己的東西啦。
我不是叫你收起來的嗎？
啊，他是我兄弟道明，在幫A片製作公司擔任服裝造型師。
還有吉原，他是星探。
大家好~~♡
嗨！
12
我因爲有事，就叫這兩個人幫我去接妳。
他們兩個都對幫女孩子做造型非常在行。
像化妝或是服裝方面。♡
哇，好高興。謝謝你的讚美！
別碰我！
呃？呃？呃？可、可是我，
我我我不可能變明星啦。
我這麼笨……

放妳一百二十個心。包在我身上！
ポンッ
妳只要表現出妳平常的樣子就可以了！
平常的樣子！
13
……
？
好了，大家進場吧！
聽好，跟在我後面走，不要跟丟啦～～～。
…
……
…
老師，聽說相澤也有參加今天的徵選會喔。
什麼？那眞是太巧了～～～！
那她是野村的敵人囉！
哇哈哈——！

我是12號大橋素子，今年16歲，請大家多多指教！
好的。素子同學，不曉得妳三圍多少呀？
84・55・84，身高158公分！
哦——！妳身材挺豐滿的喔！

我的專長是唱KTV和彈鋼琴！
我喜歡的東西是照片貼紙。
哦？妳收集幾張啦？
嗯，大概有300多張！
喜歡什麼樣類型的男生？
嗯——像反町隆史那一型的——
呀哈哈！

喔～～～好可愛！
哪個高中的？
哇塞～
岩田由紀子呀——
我要愛上她了！
這次比賽，水準挺高的嘛。
喂，老師——！這樣真的好嗎～～～？喂！
你說要把大奶妹捧成明星，吹牛吹得太大了吧？
你是玩真的？
喂！你有沒有在聽啊？
喂喂，不要吃零食了啦！
我是13號相澤雅，14歲！
請大家多多指教！
喔—阿雅同學妳很成熟唷！
現在的小女生實在是～～～
謝謝誇獎！
妳的專長是？
啊，我對我的歌聲很有信心。其它還有彈鋼琴和讀書。♡
哈哈哈，讀書呀？好可愛。
妳將來想當什麼？
我想當一個像夏目雅子一樣有氣質的演員。
喂，喂，相澤那丫頭比賽比得很帶勁喔。
穿那麼高叉的泳裝，還有會發亮的絲襪。
她以為她是賽車皇后？
哇靠～～一點也看不出來是國中生！女人就是這麼可怕…
好，下一位—
我是14號三上陽子，17歲！♡
吉祥寺以外還喜歡什麼地方？
國分寺！
……哼！

我本來是抱著好玩的心情參賽，但我現在愈來愈想贏了！
嗶！
大奶妹去當明星？哼！笑死人了！
事到如今，我死也要拿下冠軍！
哼！等著瞧！鬼塚～～～
我我我是10、10、10、18號、
結巴
野村朋子是吧？
的、的、的、的、的、的、的～～
……
啊，對、對、對，就是我！
正點喔！
哇哈哈…

妳今年幾歲呀～～～？
我今年10、10、10、10…
14吧？
啊，對對對！
噗！
哇哈哈哈哈！
卡哩
……
我都替她感到丟臉。
我…我也是。
……
她在幹嘛啊～～！
這位同學，妳穿運動短褲上場是很別出心裁沒錯，
不過，第一項審查規定是要穿泳裝—
喂，她腦袋有沒有問題呀？
誰曉得。
啊啊～～～！糟、糟糕～～！
我、我我我我馬上換成泳裝！
啊？
哇哈哈～～！
あたふたっ
馬馬馬馬上馬上馬上、馬上……
脫……
哇！喂！同學…妳怎麼當場就換起來了…

喔——妳、妳穿學校游泳服來呀~~~~？
わははは——っ
ぎゃはは——っ
這、這也是很別出心裁哦……很鮮的點子。
剛剛那個脱法讓人想起以前的宮崎美子。哈哈哈！
……
一般來講，這種場合應該沒有人會穿這種泳裝。
好的，謝謝野村朋子同學所帶來的表演！
嗯？
……
脱、脱不下來……
喔喔，這下眞是糗大了~~~~！
呼啊——
……
好、好難過~~！
……
喂，誰上去幫忙她一下！
……
預備~起！
嘿咻！
呃啊！
哇哈哈哈哈哈————！

4班連一個學生也沒有？
是、是的…
是、是你個大頭鬼！我要知道這到底是怎麼回事！
事…事情是這樣的——
社、社會科校外觀摩～～～？
這、這事我怎麼不知道？沒有我這訓導主任的許可就跑出去？
還、還自動把其他老師的課取消？
好、好像是。
他竟敢擅作主張更改學校規定的課程表！
那個男人到底想幹什麼！
他以為他是天皇老子嗎～～～！
他們跑到哪裡去校外觀摩？國會議事堂？科學博物館？
校長的大哥大號碼哪裡去了…
偏偏這個節骨眼校長跑去打高爾夫！
唔——這些人真是氣死人了！
搞什麼東西！從來沒見過這種老師…
唸唸有辭
好像是去看什麼美少女選拔賽…
我是問他們去哪裡校外觀摩——…
…啊？

美美美、美少、美少、
美少女選選選選拔賽⋯⋯？
啦啦啦啦啦啦啦啦啦啦～～～！
等太陽睡醒～～～我們就去那片汪洋～～～
我的天～～～！
他到底在想什麼～～～把把把正課取消，跑去看什麼美、美、美、美、美少女～～～！
他、他把教育這百年大計看成什麼了～～～！
教、教育！
這、這、這種人應該把他革職！革職～～～！
唔哇！
完、完蛋！又尿結石了⋯⋯
訓導主任！
快打119！
哇啊啊！

Lesson35
明星誕生
肩併著肩——
就像鯨魚遨遊在融雪的大海般——
耶～～～～！♡
嗟啦啦啦嗟啦啦啦
沒有人知道的那片天空的盡頭～～～
啦啦啦

禁煙
謝謝16號大西悅子同學，為我們帶來的精彩演出。
她演唱的是鯨魚12號。
喂——老師——
拍手拍手
呼——
啊——？
嗯～～～這個16號的妹妹還蠻放得開的…
你說要讓大奶妹變明星——
真的假的？行不行呀～？
17號角田真紀為大家帶來一首歌！
我要唱什麼呢？
這首歌是古內東子的寶物
啦啦啦啦～～
老師你根本不了解大奶妹這個人。
因為你是新來的。
她真的又呆又蠢。
你瞧她那副事不關己的樣子。
嗯嗯——
嗯——
我說了，叫你們等著瞧…
會有奇蹟出現的…！
如果我的眼光沒錯的話。
我我我我是10、10、18號的…
野野野村朋子，為為大家帶來一首歌曲！

鰹魚的學校——
??
!!
在河裡頭——
18
5
大家悄悄地偷看~~~
悄悄地偷看——
呵呵
呵
噗!
鬼塚果然是瞎了狗眼…
……
……
什麼跟什麼嘛!鬼塚真的想讓這種人變明星?
未免太可笑了!
我表演得那麼認真,反倒像個白痴一樣…
喂~~那個女生在幹嘛啊~~?
好像腦袋有問題。
……
ヒソ ヒソ
笑死人了。有沒有搞錯!
鰹魚的學校?她是不是故意的呀?

接下來要進行的是演技大考驗。
ワイ
ワイ
現在把劇本分下去，請各位參賽者照上面所寫的劇情表演。
都知道了嗎？
ワイ
ワイ
……
來，妳的。
謝謝。
10
9
18
好的，那我們現在休息10分鐘！
6
嘩嘩
再見了，克行！我已經…
妳說什麼！我不是這個意思…
嘩嘩
……
課題演技
の別離
シーン・2
・洋子、下手より登場。
一瞬ふりかえりうつむく。
とまってるんだ。
のなら僕も一緒にさ。
我、我的天！好、好多字喔～～～！
喂，不要擋路！
啊，對、對、對不起…
……

喂——野村——!
啊,老、老、老師……
怎樣?情況還好吧?
有沒有下定決心要讓自己改頭換面?
不、不太好。因爲我我我從來沒演過戲,
我、我、我想我還是回去好了……
小白痴!怎麼對自己這麼沒信心?
妳只要照妳平常的樣子表現就好了。
來,這個妳拿去用。
啪啦
啊?
這…這是…
!?

把妳最真實的一面，
表現給大家看！
老師……

妳騙我?
阿雅,妳說妳在騙我,這是怎麼回事?
對不起,健志…
我說我懷孕,都是騙人的…
都是騙人的?妳爲什麼要騙我…!
因、因爲我怕你會離我而去…
笨蛋!
啪!
我是爲了妳肚裡的小孩才放棄聯考,決定去當個豆腐師傅!結、結果沒想到妳卻…
對、對不起,健志!
什麼賣豆腐的啊?那是什麼東西?
這誰寫的劇本?
啊啊!你爲了我犧牲這麼多…
啊啊!健志!
我要跟你廝守一輩子!
啊—不好意思,因爲找不到人,就拜託那個水野—
水野~~~?就那個寫劇本最會灑狗血又狗屁不通的?
對不起啦~~

請問各位評審覺得剛剛相澤雅同學的表演如何？
嗯——還不錯呀。
雖然表情僵硬了點——
謝謝評審！
哼！這種爛劇本！
演得出來就很好了……
我我我我是10、10、18號……
野野、野……野野野……
18號野村朋子同學是吧？
咚！
好的，野村朋子同學，這次又要耍什麼寶——
不是不是，這次會展現什麼樣的演技呢？
哇哈哈
噗噗
那個女的遲鈍了！
呵呵
大奶妹這個大白痴……
還不如趕快滾回去……
她還以為她真的可以變明星啊？
只會讓自己丟臉而已……
好的，現在請開始表演！
第一幕，開始……
嗯？
喂，妳在做什麼？趕快照劇本上演！
不要蹲在那裡！

10

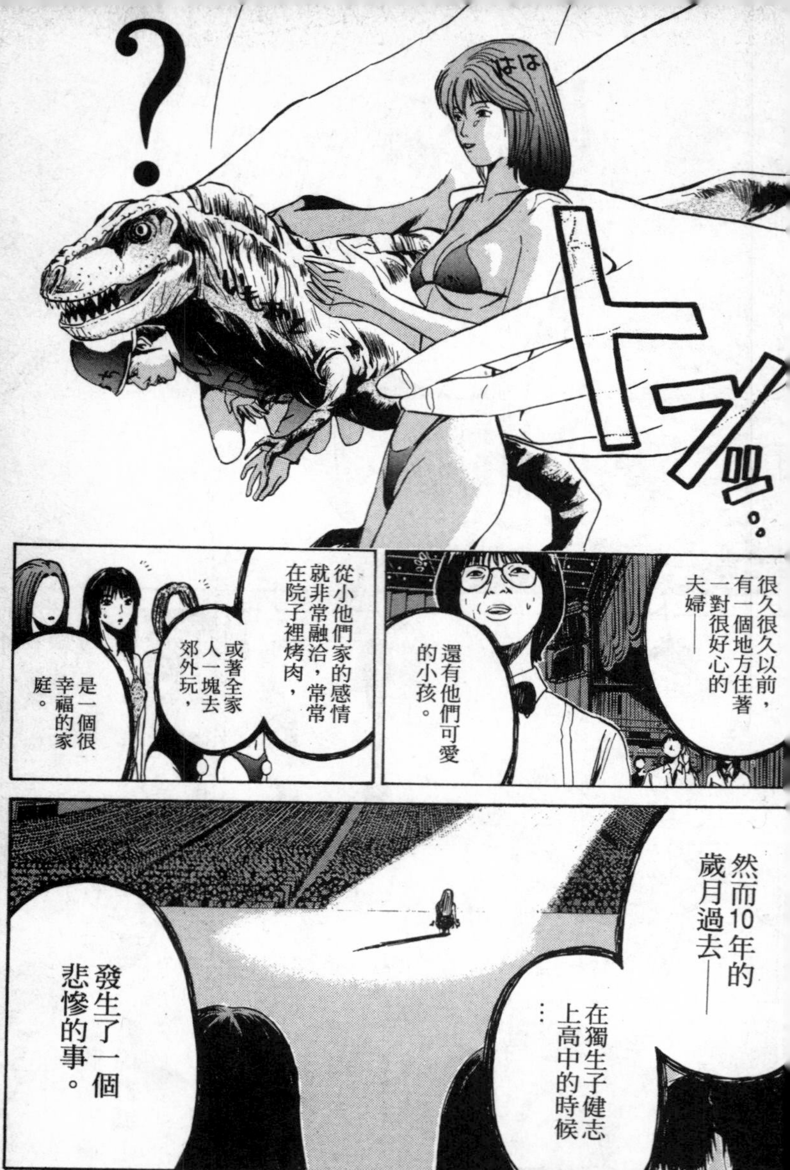
?
はは
很久很久以前，有一個地方住著一對很好心的夫婦——
還有他們可愛的小孩。
從小他們家的感情就非常融洽，常常在院子裡烤肉，
或著全家人一塊去郊外玩，
是一個很幸福的家庭。
然而10年的歲月過去——
在獨生子健志上高中的時候……
發生了一個悲慘的事。

12

咻咻咻咻轟轟轟轟叭叭啦叭叭叭啦叭～～～
嗶—啵—嗶—啵—
叭～啦～啦～啦～啦～啦～啦～啦～啦～
（教父的主題曲）
嘎鏘！
照過來、照過來～～！健志大帥哥肥來了——！
給我錢花～～！老太婆！
哇～～！不、不要這樣！健志～～！
少囉唆！
是的。自從爸爸因發生意外離開人間以後，
媽媽爲了生活，不得不到外面去工作，
DEAD
孤單的健志就學壞了，
變成全校最讓人傷腦筋的問題兒童。
健志，今天學校打電話來！
說你又在學校動手打人……
吵死了！看不爽的就該扁，這有什麼不對！
誰叫那些傢伙自己那麼欠揍！
健…健志…
嗚、嗚！
她在幹嘛啊？
自編自演？
啊？哭天啊！死老太婆！
妳以爲妳哭我就會變乖？——呸！
怪都要怪妳！每次都丟下我一個人跑出去！
不爽的話就跟我斷絕母子關係…

不是這樣的……
媽媽看到你現在變成這樣好難過…
原本那麼心地善良的孩子…
為什麼會去學壞…
啊啊…這一定都是我的錯…
都是因為我一大早就出去工作到深更半夜才回家，才害你變成這樣…
讓你覺得孤單寂寞…
嗚嗚…
哼！現在說這些有什麼屁用！
反正我就是劣根性重！天生就是人渣！
才怪！你本性其實很…
少囉唆！死老太婆妳不要再給我廢話下去，拿錢出來！
健志~~~！
先、先生！請你不要這樣！現在選拔賽正舉行到一半…
滾開！我是訓導主任！
卡喳卡喳
你、你不可以亂闖到台上…
你放手——！
啊！
哇哇哇哇

……
啊～！
妳……
發飆
火大
妳們這些人～～！
訓導主任！
妳們在這邊幹什麼！
啊？
哇！先生！
ツカ ツカ ツカ ツカ
妳是4班的相澤對不對！我知道妳！
不去上課跑到這裡來！真不曉得妳在想什麼！
哇！訓導主任…？
妳想被學校開除是不是！
快點跟我回去！
現在的學生真是不知天高地厚！
你、你幹什麼！放手呀～！
氣死人了！不要臉的傢伙…？
……

老師！請你不要這樣～～～！
你怎麼可以說健志不要臉！
……
緊抓
……啊？
喂，妳、妳在說什麼…？
健志是誰？
ギュッ
健志是我的兒子！
啊？
他是我這世上最寶貝的人，
是我和死去的前夫的小孩。
喂，
妳在講什麼？
所以…所以我不准你罵他不要臉…！
你敢罵我不要臉？不想活了？
老太婆走開！
我已經看這個王八訓導主任不爽很久了！

你要把我開除？有種你就試看看！
不過你還來不及把我開除，就會被我送上西天了！
面露兇光
覺悟吧！賤人～～～！
哇咧？等、等等一下……
住手！健志！
哇啊啊啊！
!
啊？
媽…？爲、爲什麼…？
我誤殺到妳了！
喂！振作一點啊！媽！
妳不要丟下我一個人走啊！
媽～～～！
我不要妳死～～～！

好久沒聽到了…健志…
…咦?
媽…
微笑
我說好久沒聽到你叫我媽了。
!?
媽!妳、妳不是被刀刺中死掉了嗎…
是這個…
這、這個?爸爸死後留下來的遺物懷錶…?
嗯。媽媽一直把它放在
…
就是因為它,才保護媽媽沒被刀刺到…
爸爸的懷錶保護了媽…?
不只我,爸爸也保護了你…
……

這樣你應該了解了吧?你並不是孤伶伶的一個人。
我們是「一家人」呀…
媽媽也好,爸爸也好,我們永遠都在你身邊…因為…
媽……
……
……
……
對不起!媽——!
抱緊!
健志…

ワァァァ
……

太棒了~~~~~~~~！
咻~~~~！
嘿嘿——！
演得太好了！
哇……！
……
呵、呵♫
——♡♫
賓果！
……
……

Lesson36 退職勸告

所以我已經不曉得說過多少遍了，我最討厭
像他那樣的男人！
鬼塚！
沒錯！就是鬼塚！
條蟲、蛔蟲、蟯蟲、勾蟲、線形蟲
寄生蟲有很多種，
可是那個男人寄生錯地方了！
從身體、心靈、肉體開始…不，不只是人類，再這樣下去，
連整個學校
都會被他腐蝕掉！大家千萬要自立自強…這次我
一定要把他攆出校園！
Lesson36 退職勸告

恭喜妳獲得評審團所頒的特別獎！
ワイ
パチパチ
妳剛剛那段即興表演實在太精彩了！從來沒看過這麼精彩的獨角戲！
妳是什麼著名劇團的團員嗎？
簽名——
朋朋好可愛喔！
還還還還好啦。我我我不不是什麼劇劇劇團的……
哇～～～！好可愛！♡
哇——哇——
讓我們拍幾張照片好嗎？♡
啊，不好意思，我是吉祥寺有線電視台，想跟妳做個專訪…
啊啊啊、這個這個…
大奶妹——！
啊？
妳剛剛表現的好棒喔！朋子！
妳眞是太厲害了——！
哦哦哦？有有有嗎？
眞的太精彩了！
謝謝謝謝你們…
好棒！

所以我已經不曉得說過多少遍了，我最討厭
像他那樣的男人！
沒錯！就是鬼塚！
鬼塚！
條蟲、蛔蟲、蟯蟲、勾蟲、線形蟲
寄生蟲有很多種，
可是那個男人寄生錯地方了！
他會
從身體、心靈、肉體開始…不，不只是人類，再這樣下去，
連整個學校
都會被他腐蝕掉！大家千萬要自立自強…這次我
一定要把他攆出校園！
Lesson36 退職勸告

恭喜妳獲得評審團所頒的特別獎！
妳剛剛那段即興表演實在太精彩了！從來沒看過這麼精彩的獨角戲！
妳是什麼著名劇團的團員嗎？
簽名——
還還還還好啦。我我我不不是什麼劇劇劇團的……
哇~~~~！好可愛！♡
哇哇————
朋朋好可愛喔！
啊，不好意思我是吉祥寺有線電視台，想跟妳做個專訪…
讓我們拍幾張照片好嗎？♡
啊啊啊、這個這個…
哇！
大奶妹——！
啊？
妳剛剛表現的好棒喔！朋子！
妳眞是太厲害了——！
哦哦哦？有有有嗎？
眞的太精彩了！
謝謝謝謝你們…
好棒！

第一名
大奶妹
キャ
ワイ
ワイ
好誇張！大奶妹那邊圍的人比第一名這裡還多。
妳當選井之頭小姐，現在心情如何？
嗯—心裡真的嚇了一跳—
啪嗟
有什麼辦法？像這種選拔賽都嘛跟經紀公司有勾結，一開始就已經內定好了。
那個第一名的只是臉蛋長得可愛而已。
一定紅不起來啦，搞不好3年後就脫了。
3
不過，藉此機會倒是讓人了解到大奶妹有那樣的才華。
嗯，沒錯。
……
老師，你還真有一套—
呃…？
鬼塚那小子不見了…
嗯？
Tomoko
テレホンカード50
!?

審査員特別賞 受賞 のあの娘!!
トロトロトロちゃん
野村朋子グッズ
照過來！電話卡、海報、一手照片、造型娃娃——
野村朋子周邊商品應有盡有！
都是第一手的喔~~
將來價格一定會狂飆！
快來喔
別家買不到喔。
電腦做的海報
海報 1500圓
用彩色影印做的電話卡
朋朋電話卡 1000圓
一手照片
一手照片 300圓
請玩具公司的朋友做的兩種造型娃娃
朋朋造型娃娃 3500圓
隨便找家沖洗店做成仿的照片貼紙
朋朋徽章
把扇子貼上朋子的照片。
TO MO
啊，我要電話卡！
ワイ
ワイ
來，1000圓。
啊，我要3種各一張！
我也要一張！
偶偶偶要那那那張海報。
先生，你混有眼光喔。
來，1600圓。
我也要海報！
……
……
啊，我要一個朋朋的造型娃娃~~~♡
有穿制服和體育服的，妳要哪一種？
兩種都要！
偶偶偶也要！
我也要，我也要！
嘩！
嘩！
……

……
阿雅，妳不要放在心上啦。
一定是有人幫她走後門，她才會得獎的。
就是說啊。大奶妹根本只是個胸大無腦的白痴。
我敢說一定是鬼塚在後面動的手腳！
沒錯！
好了啦，阿雅——！
不要在那裡假惺惺！
妳什麼意思？同情我？
連預賽都沒通過的人，妳有什麼資格！

5

……！
啊！
對、對不起！我不是故意的！
別、別介意！
我先走了！
什麼嘛 講這種話！
阿雅那傢伙！
太過份了！
好像不小心說出真心話的感覺。
可惡！
……
可惡！可惡！
可惡～～～！
6

咚！咚！
阿雅，妳怎麼了？
阿雅？
……
鬼塚！一定都是你在後面搞的鬼！嗚嗚！
可惡！害我在全班同學面前丟臉…嗚嗚！
我絕對饒不了你！
嗚！
鬼塚，你給我記著！
咱們走著瞧！有一天我一定要給你好看！
乾杯——！
中華料理
カチ—

伯父～～～！拉麵多煮一點呀！
沒問題！
今天我請客！大家要吃什麼盡量點！
耶——！
大奶妹眞的太厲害了！
我看了好感動！
眼淚都快掉下來了。
謝謝謝謝大家！
ワイ
ワイ
ワイ
ワイ
沒想到大奶妹有這樣的一面哩。
剛剛不是還有經紀公司的人遞名片給妳嗎？
搞不好可以因此在演藝圈出道喔？哇塞～～！
不不不可能的啦～～
沒想到大奶妹這麼會表演。
沒沒沒有啦…
還是有點難以置信。
眞的很厲害啦！伯父，你都沒有看到。
我不用看啦。哈哈哈！
老師你也還眞有一套。
讓大奶妹一下子變成全班人氣最旺的人。
你外表看起來獐頭鼠目，想不到還蠻有個老師的樣…嗯？

!?
數錢
ペロッ…
一——
二——
三——
四——
唔~~~嗯，今天真是賺了不少。呵、呵、呵、呵。
如果拿到商品販賣權的話…
舔——!!
嘻嘻…
來，這是你的份。
1成。
……
搞不好可以發一筆橫財!
受不了。
好!今天餃子算伯父我請客!
大家盡量吃呀!
哇——太棒了!
……
野村，我們走囉!
嘎啦
明天學校見!
哈哈!
拜拜…

我們走囉，加油！
唔、嗯！
啊啊啊，老、老師…
唔—好飽！
我也是～吃得快撐死了！
ペコ
今、今天眞眞眞眞的很謝謝你。
幹嘛啊？跟我客氣什麼？
眞不像妳。
因因因爲老師爲了我做了這麼多…
菊、菊地跟我說，
老師看我都交不到朋友，
就想要幫助我。
所、所以，該、該怎麼講…
我覺得很感謝老師～
小笨蛋！我也沒做什麼。
只是拿東西去賣而已。
這都是因爲妳的實力。

這就是屬於妳自己的獨特風格！
妳表現得很好喔，朋子！
噗通！
而且也讓我趁機大撈了一筆！
妳看！這麼多福沢諭吉！
一——二——三——
……
ドキ ドキ
啊、嗯——我想——
我、我有一個東西要送老師——
有東西要送我？
不…不曉得，
你願不願意收下？
ドキ ドキ
喔？
好啊…
一、

※日本的千元大鈔印有福沢諭吉的像。

一點小東西，
不成敬意…
不、不嫌棄的話…
!?
棉薄之禮
拉我一下♡

……
啊…我聽菊地說老師最喜歡收到這種禮物。
我…我的能力範圍內，只能做到這樣…
所、所以請請你把繩子拉下來…
笨蛋。妳以為這種東西，
就能讓我高興嗎？
咦？
要討我歡心的話——
一定要這種的——

才可以♡
像飯島愛一樣的。
太舊了一點嗎？
縮緊
!??
……
噗！
哇哈哈哈！
這什麼呀！
好髒的屁屁喔！
臭丫頭！小心我扁妳！

妳不曉得，我可是每天在屋頂水槽用檸檬香皂洗我的小屁屁！
可是你看這邊明明有污垢！
哎唷！好像噁心的老頭！
……
……
……
污、污垢？怎麼可能～～～！
你自己看，就這邊！還黃黃的。
才、才怪～～！
……
KARIN
中華料理
みんめい
搞屁啊。人家好不容易想出可以讓你爽的好點子，
你竟然自己放棄。
而且還那麼低級…
要不要叫警察呀？
哇～～大便啦～～～！
臭ㄚ頭！我抹在妳臉上！
不要！臭死了！
站住！
……
鬼塚那傢伙還會害羞呀？
……
……
也許可以回到從前喔。
村井，你不覺得由他來當我們導師，
上學搞不好會像那時候一樣快樂？
咦…？

老師學生打成一片，
看！我大便都是蹲在馬桶上大！
這有什麼稀奇！
我弟也是這樣！
笨蛋！看清楚，屁股蹲的角度不一樣！
就像以前的2年4班一樣⋯⋯

革～～～職！
革職！
這次請您一定要把他革職！
革職、革職、革職、革職～～～！
未經許可就取消自己的課帶學生跑出去玩，不僅如此還自作主張叫學生蹺掉其他老師的課，
簡直荒謬至極！
如果再讓那隻猴子無法無天下去，其他老師也會被波及！
……
再這樣下去，我們學校遲早會被那小子噴出來的毒液腐蝕得體無完膚！就像房子被白蟻蛀掉一樣！
理事長！請妳要做出一個決斷！
不只是我，現在全體男老師都對他非常鄙夷，理事長！
……
呼～～
我知道了。
雖然我個人對他是多所期待，
不過既然發生這種事，似乎也不得不這麼做了。

咦？那、這麼說……
明天一大早馬上召開緊急教師會議。
我將在這次教師會議中，
決議他的去留。

嘎——嘎——
尿結石出來了！
鼻頭冒汗
哇哈哈哈！出來了！
我身體裡多餘的東西…和心中那塊石頭一起掉下來了！
啊哈！啊哈哈哈！我就要和痛苦說再見了！
看來你的狗屎運也有用完的一天，
呵呵…
鬼塚！
唔…唔～～～！

這次我一定要，
太極拳，咿——！
他在幹嘛？
好白痴喔。
把你從這個學校**攆出去**！
呼哈！呼哈哈哈！哈哈哈哈哈！

什麼？鬼塚老師要被開除？
等、等一下！森高老師，這是怎麼回事？
就是上次社會科校外教學那件事…訓導主任好像很火，
直接告到理事長那裡去。
而且這次的事似乎也有很多老師很不滿，
因為他還自動讓學生蹺掉其它老師的課。
聽說要在明天的會議中做出決定。
怎麼這樣～～！我、我去找訓導主任談看看！
我想也是沒用。訓導主任從面試的時候開始就看鬼塚很不順眼，
視他為天敵。
他現在搞不好像把鬼的腦袋瓜砍掉一樣高興。
怎、怎麼這樣！那鬼塚老師～～不就…

只要訓導主任的意思不變…
!?
他恐怕百分之百…
被開除定了。
勸他乾脆去學黑手算了。
反正他好像對摩托車很有研究。
怎、怎麼這樣！人家才當老師兩個月而已！
也、也許以後他會是一個非常優秀的老師！
有什麼辦法？訓導主任就是不喜歡他。
雖然他人是很好啦…這次八成成定局了！
怎麼這樣！我們不可以這樣就放棄！
嚕嚕～～～嚕嚕嚕～～～嚕～～～
啦啦啦啦～～～
嘎恰
啪咚！

Lesson37 內山田廣志51歲的春天

呃？你今天怎麼這麼早？
嚾嘟嚾嘟嚾嘟
今天來參加我們家族對抗的是……
喀啦
吃
嗯——今天有一件好事，讓我心情愉快。
トン
妳看，我還買了蛋糕回來。
現在最流行的水果慕斯蛋糕喔。
我們學校有一個頑劣的新任老師，
他終於要被開除了。
哦——那真是太好了。
妳也覺得喔？那個男的就是造成我壓力那麼大的原因所在！
有沒有信心啊？
卡哩卡哩
困擾已久的尿結石也尿出來了，這下我中年的惶恐總算得以消除了。
啊，對，好子咧？我還買了東西要送給她。
就是她一直很想要的KITTY的鬧鐘。
好子在房間講電話。你等一下再拿給她……
喂，好子！KITTY的鬧鐘喔！
妳來看！
咚咚
嘎恰
妳不是說想要？
爸你幹嘛啦——！不要進人家房間——
妳趕快出來看——

呼~~~~~~~~~~~~！
還是自己家的澡盆泡起來最舒服。
ザバッ
喔，我怎麼忘記我的沐浴劑了。
明天會議中，一定就可以決議把他給革職！
嚕~~嚕~~嚕哼~~~~哼哼~~~~嚕嚕~~~~♪
呵呵呵，這樣就可以跟那可恨的毒蟲說再見了。
哼！你看著吧，鬼塚！

我這次一定要把你除之而後快!!
把你趕出這個學校……不，趕出整個教育界……
哼哼……這次你絕對躲不過的……
嘩啦——!
哇哈哈!
喂~老婆，浴巾!
啊?爸爸喜歡叫媽媽穿水手服給他看喔?
喂~老婆!
對呀…有時候還叫我打扮成兔女郎。
喂~老婆~
喂!喂!
哈哈!
喂~
內山田廣志51歲——出生於戰後嬰兒潮。
嘎咚
叩隆

昭和21年出生於枋木縣鹿沼市。
幼時被稱為神童，東京教育大學（現筑波大學）推薦入學——
之後便立志成為一偉大的教育家，一直到現在。
大學時代為徒步旅行愛好會的成員，
在社團學長的介紹下，
和現在的太太良子結婚
5年後長女好子出生。
當時的時代正處於高度經濟成長的時期中
——一個將勞動視為美德的時代。
我將所有的熱忱投入教育工作之中，
並在入間的新市鎮買了一棟小小的獨棟花園洋房，一步步朝著我以一家之主的身份兼顧家庭與工作的理想目標邁進。
可是，想不到……！
咔！
咔！
近代日報
特集！10年後你的公司將因戰後嬰兒潮出生者的退休金倒閉！
咔！
咔！
我為什麼要被那種行為不檢的男人…
鬼塚那種品性不良的老師、那種人渣瞧不起！
最近不管在家還是在學校都沒有好日子過！
哇——到站了啦！
快點，快點！
嘩嘩
什麼——！
太不像話了！竟然在電車上換襪子！
妳們，就是妳們！那三個高中女生——！
你也是！！耳機的聲音吵死人了！
那什麼沙沙沙的聲音……！
沙沙沙沙
啊，不好意思，我朋友來找我。
啊？不是啦！哈哈！
喂！還有你！
電車上講什麼大哥大！沒有常識的新新人類！
你！就是你……！……

!?
……
嗚呼…在這失序的世界裡，只有這一刻能夠讓我獲得慰藉…
偷摸
6點52分，由入間發車往上石神井方向的列車上，站在第3節車箱第2個門口前這位看起來乖巧柔順的上班族小姐…只有她…！
一年來——只有她那柔軟、圓潤的雙臀，帶給我解放。
嗯……就是這柔軟的觸感……
摸摸
摸
這個女孩一定也覺得很寂寞…所以才會每天搭同一班電車……不對！
也許她在心靈深處期待著我對她…
カッ

你在幹什麼？我都看到了！
你剛剛在摸這位小姐的臀部！
警視庁
!?
妳妳妳妳妳亂講！我我我才沒有…！
我是警察。
依被害者要求，從剛剛就一直在監視你。
請你跟我在下站下車。
沒事了。
哇啊！
等等等等一下！這這是一個誤會——！
妳妳妳放手！這真的是個誤會！
你還想狡辯！
你是現行犯。
喂！放開我…

瞄…
!!!

兒兒兒兒兒兒兒
鬼、鬼塚……？
也許妳也被盯上了!!
嬰兒潮世代的老色狼激增！
援助交際
為什麼！他怎麼會搭這、這、這班電車？這是入間發車6點52分的西武新宿線啊！爲什麼？
噗咻！
他、他不是都睡在學校的嗎？
難…難不成他跟蹤我？
被他看到了？
不、不對，他應該不可能看到…
不妙！如果真被他看到，這件事一定會馬上傳遍整個校園！
…
我會被理事長叫去，然後勒令退職。這29年來我拼了老命辛辛苦苦累積出來的成就…
還要再付10年的房貸，Cresta的貸款還有3年，再、再加上NTT股票的損失，泡沫經濟時期轉手賣掉套房賠掉的錢…
我、我要逃跑…不、不然我的人生…
這51年來的人生，
就因色狼的罪名…

!
你幹嘛啊——!
是你自己撞過來的!
兇屁啊!
你再給我說看看!
有話好說,不要打了!
趁現在!
啊!
他跑掉了!
……
呼——呼——
我怎麼可以在這裡被你們抓到!
呼!
我才不要讓這51年的辛苦成泡影~~~~~~!
呼!
呼!
呼——

哇哈哈哈哈哈！太棒了！
我成功逃出來了！
活該！誰叫那個上班族小姐要背叛我！
摸妳一個屁股就要被警察抓？有沒有搞錯！妳可知道我是誰？老子可是私立明星學校的訓導主任！
唔哈哈哈哈哈哈——！
等一下等風聲稍微平息後，再搭別線的電車去學校！
沒錯。搭國分寺線在國分寺下車，然後，然後…
啊啊，太好了…這下我退休以後就可以過著幸福的日子了…房貸也好，NTT股票的損失也好，Cresta的車貸也好，
好子的升學資金也好，高爾夫會員卡也好，買給老婆的鑽戒也好，都沒問題了！
哇哈哈哈哈哈哈——！
啊！

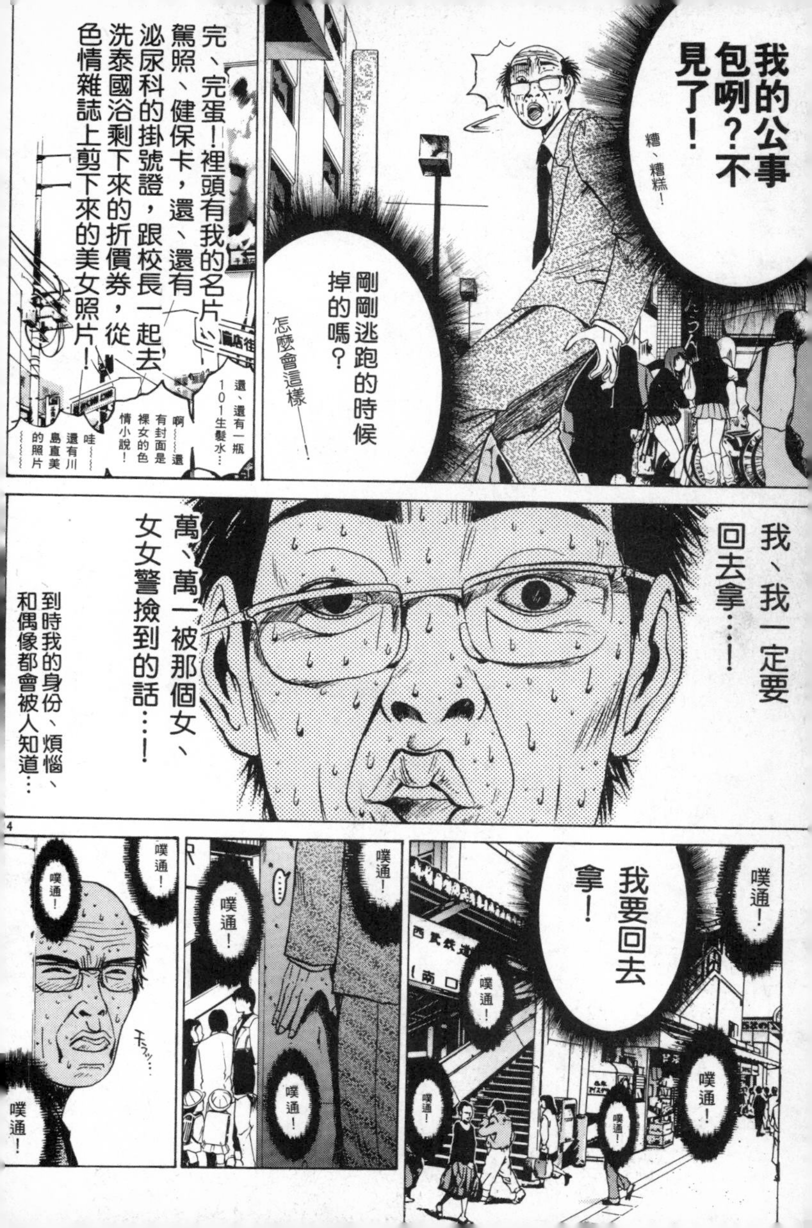

我的公事包咧？不見了！
糟、糟糕！
剛剛逃跑的時候掉的嗎？
怎麼會這樣──！
完、完蛋！裡頭有我的名片、駕照、健保卡，還、還有、泌尿科的掛號證，跟校長一起去洗泰國浴剩下來的折價券，從色情雜誌上剪下來的美女照片！
還、還有一瓶101生髮水…
啊～～還有封面是裸女的色情小說！
哇～～還有川島直美的照片～～
我、我一定要回去拿…！
萬、萬一被那個女、女女警撿到的話…！
到時我的身份、煩惱、和偶像都會被人知道…
我要回去拿！
噗通！
噗通！
噗通！
噗通！
噗通！
噗通！
……
噗通！
噗通！
噗通！
噗通！
噗通！

←訓導主任的公事包
!!
鬼、鬼塚？我的公事包怎麼會在鬼塚手上？
而、而且還和警察在講話…
難、難道他當時真的看到了？那個像毒蟲一樣的男人，竟然拿著我的公事包……！
那請你到站長室一下。
好喔，。
啊、等一下！拜託，不、不要把我的公、公事包拿走！
拜託！那個公事包是我人生的全部～～～～～！

16

完了…如此一來，我這29年來所有的辛苦全泡湯了…
警察一定馬上就會打電話來，然後把我抓去。…
我要怎麼跟家人交代？
呼…
唧
良子，好子…我一定會走上離婚一途…
她們一定會說「你這不要臉的老色狼！我一輩子都不要跟你講話！給我滾！」哈哈哈…
呼～～……
嘩啦
可是等一下，這樣把憋了許久的小便解放出來後，靜下心來仔細想想我好像有點擔心過了頭…
鬼塚在隔壁那節車廂，怎麼可能會目擊到我的糗樣？
最近總是會不自覺地往壞的地方想，不知不覺就…
說…說的也是。他搞不好碰巧跟我拿一樣的公事包，這也不是說不可能…
沒錯！一定就是這樣！
而且我已經沒有再拉血尿，我應該相信自己的好運…
沒錯。我這51年來累積出來的好運…

……
嘩啦啦啦~~~~
噗通！
噗通！
噗通！
噗通！
………
嘩啦嘩啦
嘩啦…
噗通！
噗通！
噗通！
噗通！
噗通！
噗通！
噗通！
嘩啦嘩啦~~~~
噗通！
噗通！
噗通！
瞟……
……
噗通！

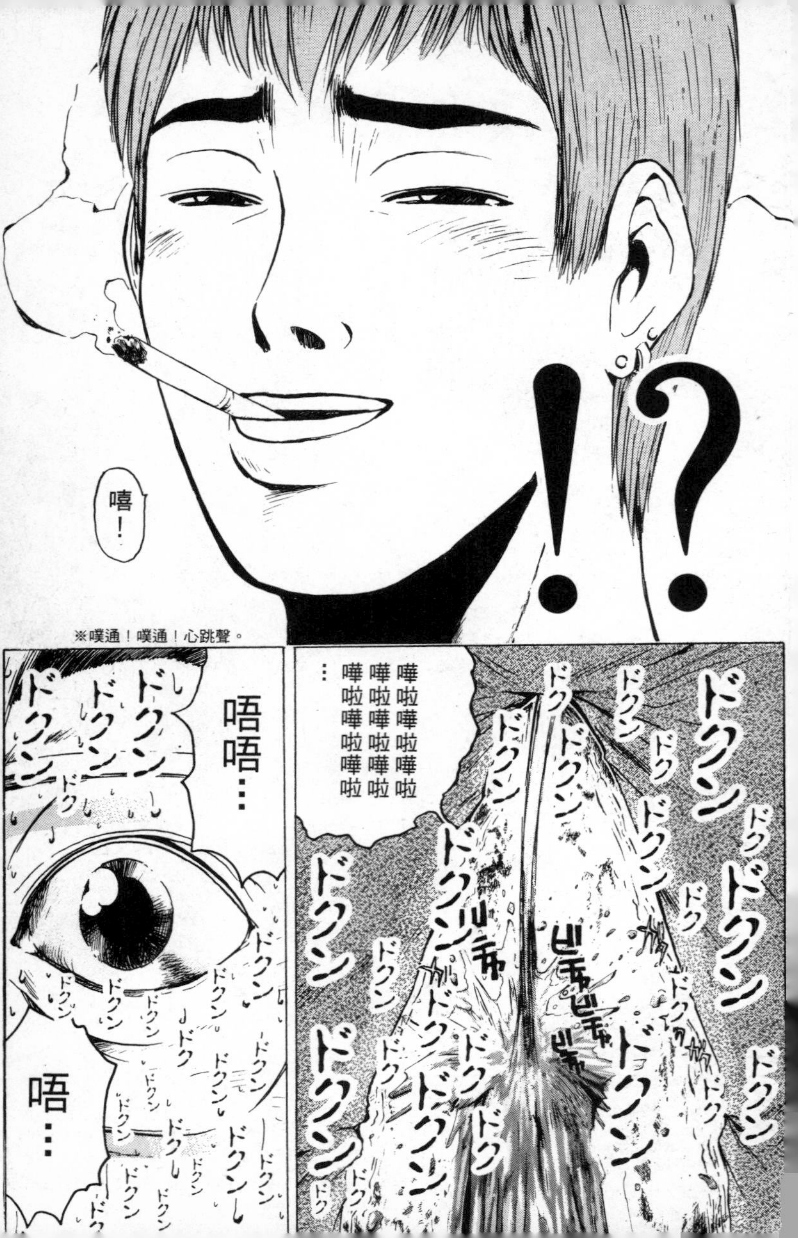
嘻！
!?
※噗通！噗通！心跳聲。
嘩啦嘩啦嘩啦嘩啦嘩啦
嘩啦嘩啦嘩啦嘩啦嘩啦…
ドクン
ドク
ドクン
ドクン
ドクン
ドクン
ドクン
ドクン
ドクン
ビチャ
ビチャビチャ
ドクン
ドクン
ドクン
唔唔…
ドクン
ドクン
ドクン
ドク
ドクン
ドクン
ドク
唔…

唔哇啊啊啊啊啊啊啊！
クチャ クチャ クチャ
ガクガク
はあ はあ
……
嘩啦嘩啦嘩啦嘩啦
嘩啦嘩啦嘩啦嘩啦
咦？訓導主任。
你血尿噴到腳上來了。

咻咻咻咻咻咻咻咻咻咻 ♪♪
……
滴答滴答……滴……滴……滴答滴答……滴答滴答……
Lesson38
那小子全都曉得！
HAWAII
AMAZON
KOMEBUSO
NAMAKO
KUDOSHU

我今天是坐西武新宿線來學校的喔。
ビクッ
啊，我昨天到往小手指的朋友那裡拼酒啦。
啊，現在還是全身酒味。
哇，早上坐電車來真是擠死人了！我從來沒在這種時間坐過電車，不曉得有這麼擠。
還跟女生身體貼身體，簡直像跳黏巴達一樣。
哈哈哈——不過這種感覺倒是挺不錯的。
滴答……滴答……
訓導主任，你好像也是搭那班車嘛？
新宿線。
入間6點52分發車往上石神井。
……

呼～～～今天天氣眞好～～～
呼！
唉！
今天……
眞是適合騎單車出遊的日子。
這種天氣，騎單車出去玩一定很舒服。
對不對？
……
啊！
對了！這東西我差點忘記給你了。
來！
拿
你的失物♡
!!!
你都不曉得，我費了九牛二虎之力才跟警察搶回來的喔。
眞是的…下次小心一點好不好？
嘩啦
訓導主任……

「吃女生豆腐也不要被人發現嘛！」
嘩——嘩啦嘩啦
知不知道？♡
你說對不對？訓導主任。
這是基本常識。

ドクン ドクン ドクン ドクン
ドクン ドクン ドクン ドクン
ドクン ドクン ドクン ドクン
……
ドクン ドクン ドクン ドクン
※被人說中，心跳加速的聲音

PORKUS一向以眞實姓名做報導！

這也算為人師表？

私立名校訓導主任

忝不知恥！因性騷擾被捕！

持續一年之久？

「那個人會不會也一直在對我性騷擾呀…？」是的，就有這麼一名男子連續一年來每天對坐同一班電車裡的一名女性乘客撫摸其臀部。他就是明星學校吉祥寺學苑訓導主任・內山田廣志（51）。他每天都在西武新宿線入間發車6點52分往上石神井的電車上，對站在第3列車廂第2扇門把手邊服務於新宿K百貨公司的女職員A小姐（22），如例行公務般撫摸她的臀部。每天不堪其擾的A小姐，終於在一年後哭著向鐵路警察隊求助，將這種教育界的敗類繩之以法。

學校教職員旅行時強摟著女老師得意洋洋的內山田訓導主任

出了名的好色之徒？

「是的，應該說他的眼神看起來就很色眯眯吧？每次影印好拿去給他的時候，他都會兩眼直盯著人家屁股看。而且還會故意沒拿好掉在地上叫人家撿，然後趁機偷瞄人家胸部！」（同事，C子老師）「他好喜歡上酒廊喔。啊，有一次去一家俱樂部，他還點一個穿燈籠褲的小姐哩，他的品味還挺獨特的（笑）。」（同事F老師）校長、理事長眼裡一絲不苟、固執的內山田主任，在同事眼中卻是「噁心」、「下流」、「變態」等完全相反的印象。據一位不願具名的同事表示「內山田主任在學校所辦的教職員旅行時，總是藉酒裝瘋地闖到女生澡堂裡頭，嚇得所有女老師花容失色。而且還會灌女同事的酒，並藉機吃豆腐。他的舉動不只是女老師，連我們男老師看了都很不恥。

除此之外，最誇張的是去年那一次。他還在宴會場上打扮成兔女郎的樣子，而且還把下體隱隱約約露出來…」——看來似乎他只要一喝醉，就花招百出。「你說內山田先生啊？他那個人眞的很誇張。他好像把摸小姐胸部當打招呼的方式似的，我們這兒所有兼職的小姐都叫他『好色的河童』哩！（笑）」（某酒廊老闆娘）原來如此…這下我們可以理解他那種連續一年對人性騷擾的舉動了。（笑）

這樣的教育者

含淚陳述一年來辛酸的被害者A子小姐

被警方帶走的內山田主任

『同樣身爲教育者，這種行爲實在不能原諒。』親眼目睹的同事O老師（22）

「說實在，我眞的嚇了一大跳。一向一絲不苟的訓導主任竟然會在我的面前摸女孩子的屁股…而且還抓得好用力的樣子！老實說，我連身體都顫抖了一下！」今年才到該校就職的新任老師O先生如此表示。「一想到以前還跟那種人請教許多有關教育上的理念，實在太沒面子了。希望他早日出獄，改過向善。」最近教育者的不名譽行爲層出不窮，教育這種百年大計的神聖工作，實在應該趕快交棒給這樣年輕有爲的老師才對。（記者　吉原葉子報導）

叩叩！
內山田訓導主任！請你說句話好嗎？
叩叩！
身為一個教育者，你不覺得很羞恥嗎？
咚咚
叮咚叮咚叮咚叮咚
杏壇發生令人髮指的行為！
私立名校訓導主任（51）是電車之狼！
呃——最近傳出一件駭人聽聞的事件。那就是某位私立名校之訓導主任，
竟在早上擁擠的電車中，連續性騷擾一位女乘客長達一年之久！沒想到我們的教育界居然發生這種不名譽的事！
對呀，我們聽了也嚇一跳，畢竟大家以前都很尊敬他。
原來他在我們面前一副為教育獻身的樣子，全都是假裝的。
而且他還是當著我的面，把手伸進人家裙子裡頭喔。
啊！
杏壇發生令人髮指的行為！
私立名校訓導主任（51）是電車之狼！
與其說不恥，還不如說我覺得他很可憐。
他的家庭可能也不太和睦吧。
大家都說他是那種堆積了很多壓力的人，
好可憐…
聽說還會經尿出血尿呢。
萬年女朋友募集中
杏壇發生令人髮指的行為！
私立名校訓導主任（51）是電車之狼！
他如果之前有來找我談的話，也許就不會發生這種事了。實在替他感到難過。
我說真的。
滾出去～～～！色狼老師～～～！
社區之恥～～～！
你不覺得丟臉嗎～～！

這種生活，我再也忍受不下去了！
滾蛋！
哇啊啊！
匡啷
你叫我拿什麼臉去見人！我丟臉到連學校都不敢去！你說話啊你，禿頭！
你到底想怎樣？難怪人家說…
十個禿頭九個色。不要臉…
你這種人，乾脆去死死算了。
去死去死去死去死去死去死去死去死去死~~~~！
クチャ
唔哇啊啊啊啊啊啊啊啊啊啊啊~~~！
クチャ

磅！
？
呼—
呼呼—
……
訓導主任……？
還沒到開會時間呀…
ザッ

等…等一下…
你是怎麼了？內山田主任……
突然跪下來…
妳如果要開除鬼塚，不，鬼塚老師的話，
!
啊？
就先開除我吧！

咦？可、可是主任你不是一直很想將他解雇嗎…
求求妳！請妳暫時不要把鬼塚老師開除！雖然以一個做老師的觀點來看，他的確有許多地方尚未成熟…
可~~~可~~~是！
才兩個月的時間就斷定他適不適合做一個人…不！適不適合做一個爲人師表，理事長，這似乎不太妥當！
不！
不對！
現在的教育界出了問題！聯考！重視文憑的社會！欺負同學！排斥上學！
以及教育者自身的道德問題！
我跟您說實話好了！
其實我是在嫉妒他…我嫉妒他具創意又充滿活力的教學方式…嫉妒他年輕，可以和學生打成一片…
可是~~~我現在知道我錯了！
我發現能夠改變現在這個扭曲的教育界的，
只有他一個！
唔~~~！
咳咳！
嗚嗚！

是的…不知不覺中，我也被他的魅力深深給吸引了…
じゃーん…
所以，我覺得我們不妨把希望放在他身上。

……
您如果現在把他開除，將會是本校的一大損失！
不只是我們學校！
還包括我的命運～～！
……
是嗎——
原來主任這麼地看重鬼塚…
嘻嘻……我很高興我終於找到了一個知音。
老實說，找他這樣的人來當老師，只是臨時性的，縱然
對我以及對學校來說，都是一個冒險。
卡
……
不過，現在有主任你如此了解他的潛力，
我彷彿打了一劑強心針。
微笑
咱們一起加油吧！
主任。
ポン
……

兩人同心協力，共同創造一個理想的學校，
孩子們的烏托邦吧…
……
……
喂，是我。今天的臨時會議取消。
是的，事情已經解決了。
我剛剛也獲得了內山田主任的支持。
是的，還是照原定的行程。
哈哈。

……
唔
哇
啊啊啊啊啊啊啊啊啊啊啊啊啊！
嘎
嗶！
嘎
小金井公園

!?
啊啊啊啊啊啊啊啊~~~！
死鬼塚賤鬼塚爛鬼塚~~~~！
呼呼呼！我生平第一次受到這種屈辱~~~！
……
媽媽~~那個伯伯好可怕…
噓！不要看！
呼！呼！呼！去你×的~~！鬼塚~~！
呼呼！

所想出把鬼塚幹掉的方法
1 趁鬼塚打瞌睡的時候偷偷從背後把他蓋布袋，海K一頓然後埋在秩父山中！
2 等鬼塚撇完尿，在廁所偷偷用柔道服的帶子把他勒死埋在秩父山中！
3 等鬼塚睡死後悄悄接近，用家政教室的菜刀把他一刀刺死埋在秩父山中！
4 故意掉100圓硬幣在地上，趁鬼塚把注意力集中在地面時，偷偷從後面用田徑社的劃線機把他輾死埋在秩父山中！
5 趁鬼塚在屋頂欣賞風景的時候，偷偷從後面用足球社穿的釘鞋把他踩死……
礦泉水瓶
啪嘰啪嘰啪嘰！
我總有一天一定要把你幹掉！
把你幹掉！把你幹掉！把你幹掉～～～！
取消？
決定是否開除鬼塚老師的會議取消～～～？
這、這究竟是怎麼回事～～～？
聽說是訓導主任直接去跟理事長求情的。
請她不要把鬼塚老師開除，還下跪哩！
訓、訓導主任～～？

怎、怎麼可能～！他、他以前不是還想盡辦法要把鬼塚老師開除的嗎？
聽說還老淚縱橫地要求理事長不要把鬼塚老師解雇哩…
什麼～～！
……呵呵…
……

什麼～～～～～～！訓導主任跟理事長下跪，
請求理事長不要把鬼塚老師解雇～～～？
不會吧～～？
ニコ
騙妳做什麼？♡
呼…
聽說他還極力主張「今後的教育界就是需要像他這樣的老師」呢。
Lesson39
I LOVE YOU

唔～～～一向把鬼塚老師視爲蟯蟲看待的訓導主任，竟然會講這種話～～～？
訓導主任是不是有什麼把柄在他手上…
比如說腳臭什麼的。
不可能啦。這個評價本來就很正確。
訓導主任總算可以了解鬼塚老師的——
長處了。
讓我有點對訓導主任刮目相看。♡
嗯？
冬月老師，每次一提到鬼塚老師，
妳好像就特～～～別～～～
心花怒放喔？
咦……
哪、哪有！我只是就事論事，
覺得我們學校真的需要多幾個像鬼塚老師這樣的人…
哦～～

該怎麼講呢…
他…他滿能抓住學生的心…
哦~~~
妳看嘛，像我也是老師…
我對他一部份是尊敬，一部份是羨慕——
哈哈哈!
我的意思就是~~
哈哈哈…
妳愛上他了？
呼
才、才、才怪~~~!
哎唷~~~!妳怎麼會想到那裡去啦~~~!
唷~~~?瞧妳這麼急著辯解，莫非我說對了？
呵呵!♡
哎唷~~~森高老師，妳不要再尋人家開心了啦!
難怪有人說人的戀愛行動範圍大概是半徑一百公尺~~♡
就跟妳說不是啦!
啊，對，我差點都忘了。
嘎嘎
照片呀照片，就上次賞花的時候!
當·然·囉，裡頭少不了妳和鬼塚老師兩個人的獨照!♡

哇~~~~~~冬月老師，妳在害羞呀~~~？♡
啊，看得我也好羨慕唷！♡
啪咚！
哎唷~~就跟妳說眞的不是妳想的那樣~~~！
求求妳，不可以把這件事到處亂講喔！
那你們一有什麼進展可要跟我報告。♡
哇，好色！
哎唷！我要生氣囉！
哇哈哈！開玩笑的。
說起來，我這次還喝了不少酒，
鬼塚老師還在公園池子裡游仰式。
好快，過了一個月了。
……
啊、啊~~~對不起！
我眞是，走路不看路…
哪裡，是我不對，沒注意到前面…

你還好嗎？
冬月老師
妳也還好吧？
我、我沒怎樣啦。
對不起，我眞是太冒失了。
我常常因爲發呆，給人添了不少麻煩…
上次還在車站撞到老先生…
…
你是——教使川原老師嘛。教數學的。
啊，如果說錯的話，對不起。
因爲實在太多老師了，記不太起來。
我記得你好像是東大理學院畢業的嘛？
啊，對…是的。
好高興冬月老師記得我……
一方面因爲東大畢業的老師不多…
冬月老師是早稻田畢業的？
怎樣？教書教得還習慣嗎？
嗯，差不多都習慣了，還好。哈哈…
說起來，國三眞是個很微妙的年紀。
雖然事先已有心理準備，但還是…

……
來！
以後請妳要多注意一點。學生的話還好，畢竟已經是爲人師表…
眞的很對不起。我以後會小心的。
スッ
同樣身為老師。
彼此勉勵吧。
微笑
……
好的。
那麼，我得去準備下一堂課的教材了，失陪了。
……
哇！
啪沙
啊——我在幹什麼？每次都這樣～～～！
笨死了！
哇！
啪沙！
啊～～～

噠！
前頭筋
側頭筋
眼輪筋
噠！
……
咬筋
口輪筋
胸鎖乳突筋
肩甲挙筋
広頸筋
噠！
三角筋
肩甲骨
大胸筋
右肺
上腕二頭筋
第7肋骨
第8肋骨
肝臓
……
噠！
噠！
噠！
UMAN

?
!
呀！
……
哇咧！
カツ
カツ
カツ
カツ
カツ
哇靠！我的天——！鬼塚那傢伙又在玩角色扮演了！
這次換無敵鐵金剛的雙面人！
而且還用人體解剖模型。
上次不是還扮惡魔人嗎？
上上次是科學怪人…
!!
哇啊！
哈哈！
スタスタスタ…
鬼塚他們班眞好。
有這種級任老師，上課一定很熱鬧。
好像很好玩的樣子。

8

パタパタ
哈啊！哈啊！不好了不好了不好了不好了！
哈啊！哈啊！事情不好了~~~~！
啊，吉娃娃來了。
啊，鬼塚老師！事情不好了！
ギクッ
你看一下這邊！
我手上的這個！
有人把我理化教室的人體解剖模型切掉一半拿走了！
你看！
你看你看你看！
……
可惡~~~~！到底是誰，搞這種惡作劇~~~~！
你知不知道是誰幹的好事？
鬼塚老師！
ザザッ
不……
スッ
クルッ
你真的不知道嗎？
真的？
真的？真的？
真…真的……
我不清楚……
スッススス…
クルクルクルー
スタタタタ

可惡——！是誰！到底是誰搞這種惡作劇～～～！
……
這是學校的公物啊！
我要打電話給教具公司，叫他們趕快送新的過來！
送新的過來、送新的過來……
啊——忙死了，忙死了！
又有事情要忙了！
嘻嘻嘻…
笑得肚子好痛…
呼～～～
啪咚
好險，好險。
被發現的話就要被扣薪水啦。
不妙，得趕快還回去，不然吉娃娃又要嘰嘰歪歪了。
嘿咻！
スポッ
喂——二年級的！
不好意思，幫我把這個放回理化教室去。
被發現就糟糕了。
啊？要、要叫我們還回去？
等一下請你們吃炒麵麵包。
唉！用這種方法博取學生的歡心，真不曉得有什麼意思？
ギクッ
嗚～～
你如果是老師的話，就應該用教育來獲得學生的信賴。
咚！
用你們的話來講，這樣才比較上道，
不是嗎？

啊，你是那個…刺死川原老師對不對？
哇～～～好饒口的名字呀…哈哈。
ははっ…
敕使川原來了！快閃！
啪噠啪噠
完蛋。他是那個東大畢業的死腦筋…被他發現了…
火大
是敕使川原！
是敕，不是刺！你連國字都看不懂嗎！
所謂師者傳道授業解惑也，
聽說你上課都沒有認真在上是不是？
每次都搞這種把戲嘩眾取寵…
無論有沒有例外，學生的人生成敗與否，都取決於最高學歷！
最高學歷也就是大學。
五流大學唸出來就會變成你這樣的人。你就是活生生血淋淋的例子！
你知不知道？你簡直是錯誤示範。
冒火
……
哎呀，這種小事你就睜一隻眼，閉一隻眼嘛。
凡事斤斤計較的話，很容易變禿頭喔。像訓導主任一樣…
好啦，刺使川原老師。
是敕使川原！
啊，對了，下回找一天我們一起去喝一杯，你看怎樣？我請客！
伊勢屋的下酒小菜很好吃喔。
我最討厭像你這種五流大學出身，
還不覺得丟臉的厚顏無恥的男人。

哼！像你這種不要臉的男人，到底有哪點好？
推眼鏡
……
實在難以理解。
我不知道你是怎麼拉攏訓導主任的…
不過，對我可是行不通。
休想收買我。
只不過是個五流大學的臨時老師…
啪沙
我一定會把你從教育界，
淘汰掉的。

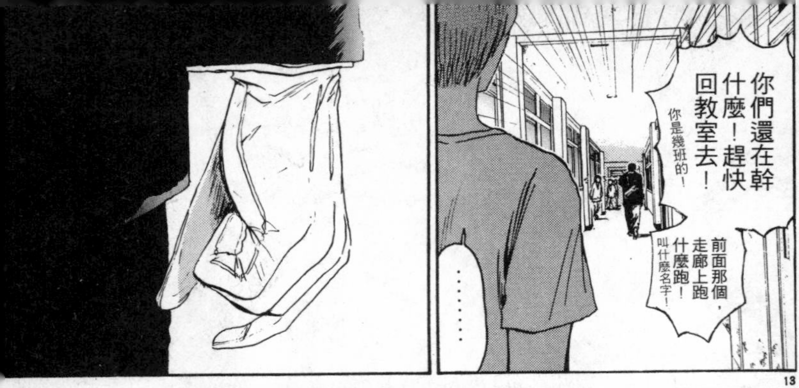

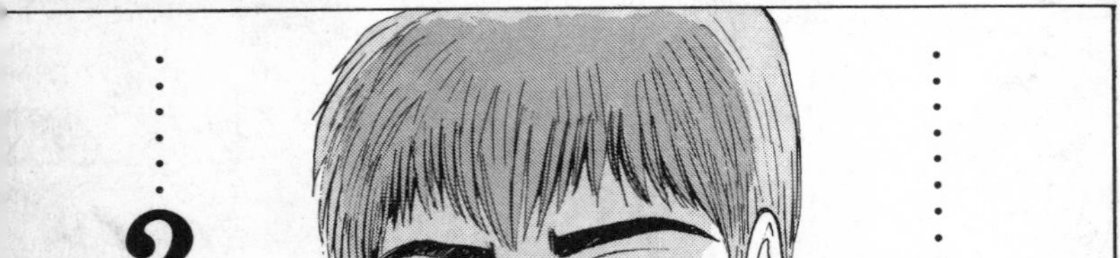

Y.M.C.A. by J.MORALI/H.BELOLO/V.WILLIS © 1978 by SCORPIO MUSIC The rights for Japan assigned to FUJIPACIFIC MUSIC INC.

MY~~~~ CA——
碰恰碰恰 碰恰恰
啪、啪啦 啪啦啪 啦!
喂，妳也一起來比呀!
MY CA—!
恰、恰啦 恰啦 !
MY~~~ CA——!
14
把所有煩惱
抖音
耶~~~!
耶耶 耶耶
全都拋在腦後~~~!
抖音
你也振奮起精神來~~~!
耶~~~!
他要唱幾首啊?
已經第十首啊!
咚!
訓導主任也眞是的!不曉得該怎麼説他…

自己說要把鬼塚老師開除，
哼！
現在又跟理事長下跪求情——
英文老師
櫻井正（42）
外號　老揮呀
喜歡的酒　白蘭地
喜歡的體位
因上了年紀，騎乘位
真是Unbelievable。
管理階級就是這麼反覆無常…
真是太不愉快了！
把人家理化教室的人體解剖模型拆一半掉！
冒火
真是太不爽了！
哼哼！！
理化老師
小茶谷　宏（38）
外號　吉娃娃
現在徵婚中
沒錯——！
不魚快～～～！
→錯字
喔——
體育老師
袋田　一　（32）
到卡拉OK喜歡的歌：YMCA（西城秀樹），
Beautiful Sunday（田中大師版），
Champion（ICE），少女人形（伊藤司）
15
最近有愈來愈多白痴學生說想要轉到鬼塚老師的班上去！
咕嚕！
呵！
我問他們原因，你知道他們怎麼說嗎？
他們竟然說因為很好玩！
因為很好玩～～～？
學校又不是「搞笑」的地方！
他們把教育當成什麼了！
我們學校又不是專門培養諧星的！
我下一首要唱Champion！
小美麻煩一下，A23452
好～～
……
難道就沒有辦法把那個男人開除嗎？
這樣下去，本校會因為他一個人的不良影響而腐爛掉的！
就像爛橘子一樣！
唔嗯，我們可以把他搞怪的樣子照下來，寫封匿名信寄到教育部去。
可是最近要做合成照片很簡單啊。
那不然設計他跟袋田一樣非禮女學生…
非禮女學生？那是謠言！

那還不簡單？這種五流大學畢業的臨時老師，
一通電話就可以讓他走路。
只要運用我的**關係**。
我們只要在旁邊看好戲就可以。怎樣？很有意思吧？
咦？
總之，交給我就對了。我已經想好怎麼對付他了⋯⋯
我一定會把他逼上絕路，讓他被解雇的。
那個爛掉的橘子！

唔喔喔喔~~~不愧是東大畢業的知識份子！
說的話不一樣就是不一樣！
敕使川原老師，你說要運用你的關係，
請問究竟是什麼樣的關係？
敕使川原老師的爸爸好像是財政部的…
財政部~~~？
哇~~~這可真是不得了呀！
好像比訓導主任還可靠。
訓導主任？哈！那個沒用的傢伙！
……
我要上路了~~~
不管前面是否滿地荊棘~~~
哇哇
我要上路了~~~
哇哇哇哇
再會了~~~昂~~~
JASRAC(出)／9712254－701
嘰！
嘎！
啪嘰！
噠！噠！
噠！
噠！噠！
鏘！
嘎恰嘎恰
嘎恰
啪咚！

……
我回來了。
卡喳。
我回來了，阿梓♡

啊，敕使川原老師！
今天這麼早就要走啦？
GEORGIA
Lesson40
第一次拜訪

!?
嗯，我跟人約了見面…
冬月老師妳呢？
老師再見！
我還有很多事沒做完，可能要留一會。
啊，再見！
哈哈哈…
又來了。嘴巴上這麼講，是不是要去跟什麼人幽會呀？
嗟嗟
哈哈哈…
我、我才沒有人可以幽會呢！
討厭！
啊，我知道了！是不是鬼塚老師呀？
他連髮型都這麼新潮，看起來很受女孩子歡迎的樣子。跟我不一樣。
而且你們好像很要好。
才、才沒有咧！不要再拿人家尋開心了啦！
你好壞！
哈哈哈哈哈～～～
!?
……
啊，對了，冬月老師，妳上次不是說想買電腦嗎？
啊？對呀。

是這樣的，我買了一台新的POWER MAC，
原本那台舊的POWERBOOK就多出來了。
它是DUO機型的，CPU我記得是88MHZ…
不嫌棄的話，妳要不要拿去用？雖然機型舊了點，不過還可以用。
記憶體也都升級過，HDD也有1.6G。
微笑
咦～～～？你要送我嗎？哇～～～～！♡
真的嗎！
我也可以教妳使用方法。
而且，我還有很多軟體，
OS8的使用法也是要有人教才會。
妳要不要到我家來看看？
理科室
好啊好，我一定去！
爲了電腦，怎樣都要去。
妳什麼時候方便？
呃～明天要準備班會的資料，後天要——
那就今天晚上，
妳看怎樣？
微笑

咦？可以嗎？當然好，好高興哦——！
那你的地址是…
老師緊急聯絡簿上有寫。
我記得冬月老師跟我家住得很近。
哦？是久我山嗎？好，我今天晚上一定去！
哇～～～！這樣我終於可以有一台MAC了！
興奮
要用來做什麼呢？嗯，我要上網。
啊，對，還要做個人網頁。
哇～～～要做什麼樣的網頁呀？女老師的秘密閨房？哇～～～好大膽呀！
興奮♡
4
・・・・・・・・・・
好笑

這樣子啊？若這件事屬實的話，那眞是個嚴重的問題。
是呀。
他如果眞的是以這種問題教學方法授課，那實在是沒有資格做一個教育者！
母子教育受害集思會
總部
太田
如果這件事屬實，我們「母子教育受害集思會」一定會堅決加以彈劾！非讓他辭職不可！
チャーーーッ
啪啦
皇家哥本哈根茶具組
￥12000
那就麻煩您了。我是老師，畢竟沒什麼立場介入教職員解雇之類的問題，
所以才想請太田太太妳們這樣的團體出面…
卡鏘
你放心，這件事交給我們處理！敕使川原老師。

不管那個叫鬼塚的老師有多得理事長的歡心，
我們一定會給予他應有的制裁！
我們會暗中進行的。
卡
奸笑
……
來，這是這個月的學費。今後還是要請您多關照，老師。
哪裡。
小女從國二就開始受教於您這位東大畢業的現職老師，眞正是太幸運了。
看來，小女在升學方面應該是沒問題。呵呵呵。
嘎恰！
我回來了。
啊，秀美，老師來了喔。

微笑
ガタッ
……
咚咚
老師，那今天就麻煩您了。
啊，哪裡。
秀美，要用功唸書喔。
是，媽媽。
嘟嚕嚕～～～嚕嚕嚕嚕～～～啦啦～～～♪
嘎——
謝謝光臨！
啦啦啦～～～啦啦～～～♪
カラープリ

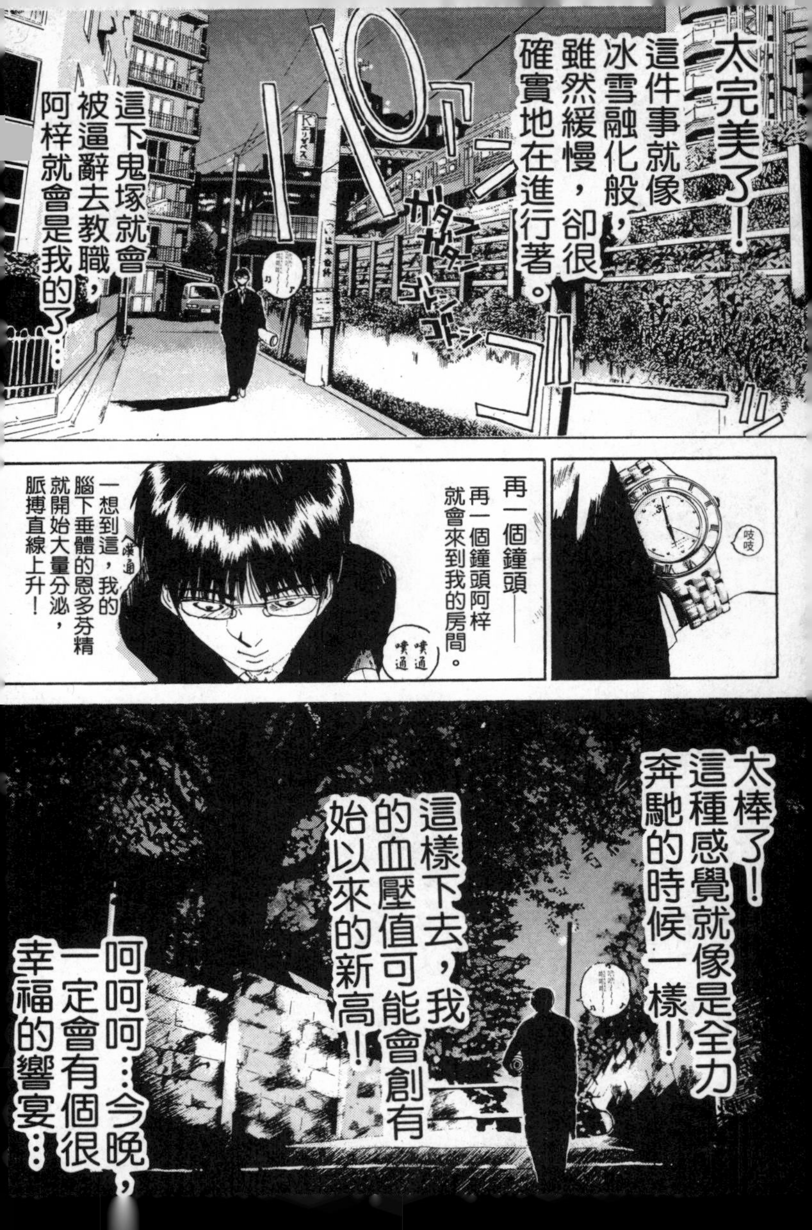
太完美了！
這件事就像冰雪融化般，雖然緩慢，卻很確實地在進行著。
這下鬼塚就會被逼辭去教職，阿梓就會是我的了⋯
吱吱
再一個鐘頭——
再一個鐘頭阿梓就會來到我的房間。
噗通噗通
噗通
一想到這，我的腦下垂體的恩多芬精就開始大量分泌，脈搏直線上升！
太棒了！
這種感覺就像是全力奔馳的時候一樣！
這樣下去，我的血壓值可能會創有始以來的新高！
呵呵呵⋯今晚，一定會有個很幸福的饗宴⋯

ガチャッ
歡迎妳來。
笑
對不起，這麼晚才來。
我發現日誌有的地方沒寫到，才搞到這麼晚。
啊，沒關係，我也是剛剛才把手邊的事忙完。
來，請進。
打擾了。♡

哇～～～～～你的房間好整潔喔。
哈哈，是嗎？
トントン
牆壁和家俱，通通都是白色的…
哈，我只是懶得設計罷了。
再說白色比較清爽。
!?
來，請坐。我去幫妳泡杯茶。
妳喝俄羅斯茶嗎？還是大吉嶺？
不好意思～～～
不用費心招待我啦。
吞口水…
哇——這就是POWER BOOK？好小一台喔。
以後它就是我的了…
哇，怎麼辦！

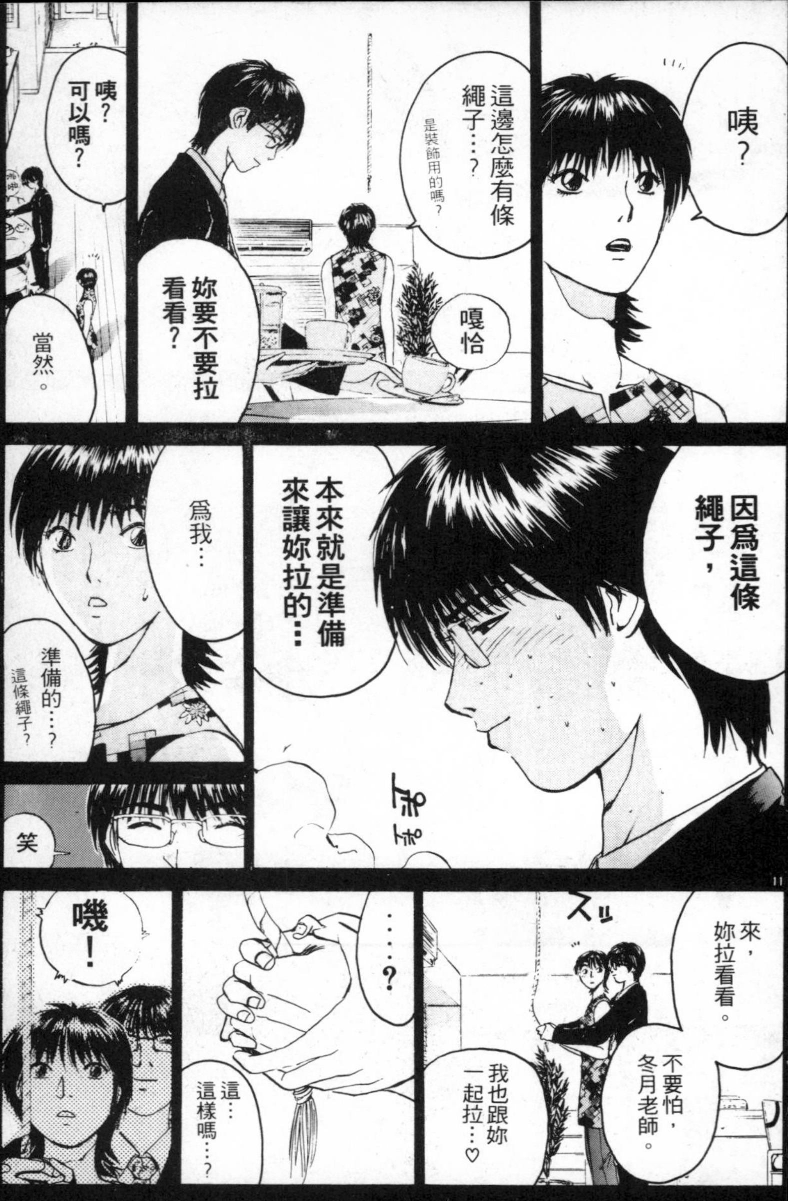
咦？
這邊怎麼有條繩子…？
是裝飾用的嗎？
嘎恰
妳要不要拉看看？
咦？可以嗎？
當然。
因爲這條繩子，
本來就是準備來讓妳拉的…
爲我…
準備的…？
這條繩子？
笑
來，妳拉看看。
不要怕，冬月老師。
我也跟妳一起拉…♡
…？
這…這樣嗎…？
嘰！

啪哩！
啪哩啪哩啪哩啪哩啪哩！
嘶！
啪哩啪哩！
啪！
啪哩！

好·棒·哦♡
從今天起，這裡就是妳的房間。♡
如何？還喜歡嗎？
嗯，我好
噹噹噹噹
噹噹噹噹
噹噹噹噹
噹噹
華格納
女武神的飛行
嗯……
這就是愛。
雖然只是幻想，我的恩多芬精已經分泌了。
然而，現實並不如幻想那般美好…萬一今天這根繩子在她的面前被拉下來的話，
我長久以來所建立起的社會地位和名聲將毀於一旦，連位居高級官僚的父親的名聲也會受損。
在這千萬拉不得的繩子之前，我將和她兩個人共處一室…
呵呵…這樣就夠讓我滿足了…
想必一定會有大量的腦下垂體恩多芬精分泌…

叮咚～～～！♡
來了！！
啊！
一看！
要開始了…
ドクンドクンドクン
※心跳聲
在那千萬拉不得的禁忌的繩子之前，
一邊聽著華格納，
一邊裝作若無其事的樣子教妳使用電腦。
卡喳
卡喳
一邊感覺那一點一點分泌出來的腦下垂體恩多芬精。
嘎喳！
嘎恰！
陶醉在與破滅只隔著一線的
噗通噗通
快感當中…！
歡…
歡迎妳呀，
阿梓…
ドクンドクンドクン

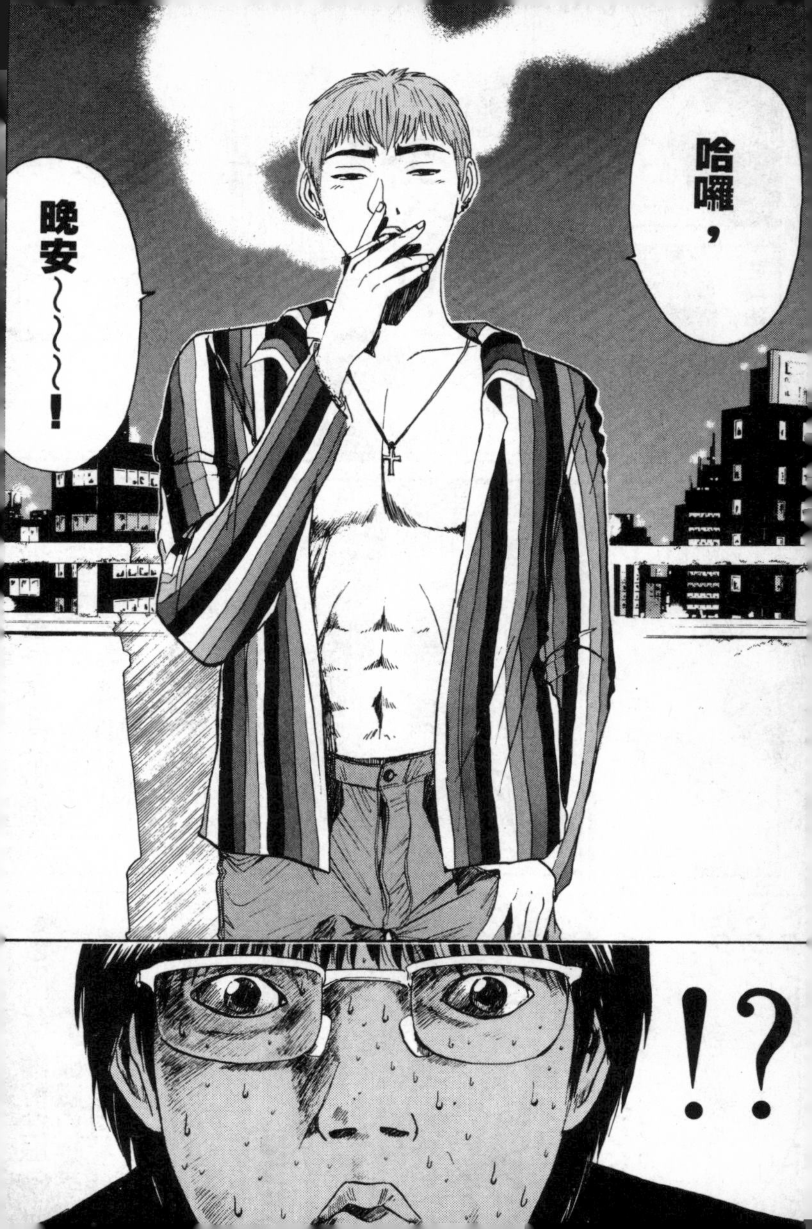
哈囉,
晚安~~~~!
!?

バタン…
咚咚咚！喂！敕使川原老師
你怎麼把門關起來了？咚咚
快開門啊！敕使川原老師～咚咚！
哈囉！喂！
……
……
怎麼會？那小子怎麼會來這裡？
完全在我的計算之外！
他到底跑來幹什麼！
ドン ドン ドン ドン
喂，你聽到了沒呀！
喂～～
……
莫非他以那動物般的嗅覺，察覺到我故意找阿梓來家裡實行我的秘密計畫…？
嘎喳！
!?
你、你怎麼把門打開的？你土匪啊！
你不要隨便進到人家家來！強迫推銷嗎！走開！不要把你的腳踏進來！
我用鐵絲就把鎖撬開啦。
誰叫你不讓我進去。
廢話少說，快滾！
我等一下有個很重要的客人要來…
你說冬月老師嗎？她不會來了。
她班上有學生當扒手被抓到，被帶到警察局去。
她現在趕過去了。

不…不來了？
豈有此理…？
我的阿梓不來了…
所以她就託我來你家，
幫她搬電腦回去。
啊，打攪了~~~
啊…
等、等一下！誰說要讓你進來的？不准你亂碰！喂！
這就是PowerBook？
嘿咻。
啪嘰
不、不是！那、那是我新買的9600／300！
啊~~~！
不要拔SCS線！
嗯？
這繩子是幹嘛的？
啊，我知道了。這是你要送給冬月老師的禮物吧？是什麼？
哇哈哈哈！
一顆球然後掉彩色的紙片下來？虧你想得出來！
哇啊啊啊~~~！不要碰~~~！
碰一下會死啊？
你不可以碰就是了！
!?

怎麼會有你這種人啊！真是不敢相信！
這是要給冬月老師的POWER BOOK！拿了就趕快滾！
啊～～～都不給人家拉那繩子喔？
好想看是什麼喔。
算我求你，快給我滾！
看到你我就一肚子火！
知道了啦，滾就滾。
嗯，可是好好奇喔。
不要說了！快滾！
嗯——
好～～好～～奇～～喔～～
嘿！
嘿嘿嘿——被我抓到了。
哇！不可以！千萬不可以拉那條繩子！
又不會少塊肉。
求求你！不要…

預備——♡
住手~~~~!
喂~~~~!
ガッ
不要看啣啊
啊啊啊啊啊
啊啊啊!

不准拉……
Lesson41 妳比蝴蝶更美麗
那條繩子～～～！
啊啊啊啊啊～～～！
喔！

不准拉！不准拉！不准拉！啊啊啊～～～！
哇咧！
唔哇、唔哇、唔哇啊啊啊啊啊～～～！
敕使川原老師，你、你冷靜一點啊！我是跟你開玩笑的啦！
不要這麼激動好不好…
卡！
你給我閉嘴～～～！
喂！這樣真的很危險！
啊啊啊啊啊啊啊啊——！
絆住
！
唔！
！
啪嘰！磅！

嗶！
啪嘰！啪嘰！
……
轟轟轟
……
嘰！
敕、敕使川原老師！你要不要緊！
摔爛了…
唉，你新買的電腦～～
嘎！
嘎！
嘎！
卡嗟
給我滾…
冒火
你再不滾的話，
我這次一定把你宰了！
青筋曝露
……
我知道了。我回去就是了。
不過你那傷口可得去醫院處理一下。我看大概要縫7針。
你管我！給我滾！
嗯？印表機印的是冬月嘛～～
快滾！
知道啦。

那POWER BOOK我就帶走囉。
記得要去醫院喔。
真是狗咬呂洞賓不識好人心。
唸唸有辭
……
啪咚！
唔啊啊啊啊啊啊啊啊啊〜〜〜〜〜！
磅！
啪哩！
霹啪
呼啊——
呼啊——
呼啊——
呼啊——
呼啊——
呼啊——
呼啊——
你這五流大學畢業的，欠扁的畜生〜〜〜！
竟、竟、竟敢愚弄本人這東大畢業的高材生？可惡！可惡！可惡〜〜〜！

這已經不是把你趕出學校就可以解決的事了！這是我一輩子的恥辱！
啪嘰！
我一定要動員我所有的關係，讓你一輩子蒙羞！
嘎哩嘎哩
啪啦啪啦
嘎哩
此・仇・不・報・我・非・君・子・～～～～～～！

哇——！
敕、敕使川原老師，你怎麼了！
手上綁個繃帶…
!?
我走井之頭公園的樓梯一個不小心跌下來，就變成這樣了。
哈哈哈。好丟臉！
你還好嗎？看起來好像很痛的樣子。
我很好，大概縫了７針左右…
７、７針～～～？
哈哈！不用為我擔心，我也算是男子漢呀，
這種小傷，算是一種勳章啦。
對了，妳的POWER BOOK用得怎樣了？
是買了很多入門書啦，可是還是覺得好難…
啊，說到這，眞的很謝謝你。
我就不用再去買新的了。
我眞是的，一個人說得那麼高興，
都忘了敕使川原老師碰到這麼倒霉的事
哈哈，不會啦！
一切都是鬼塚害的。
啊？

啊！對了！我今天到你家做飯給你吃，
算是謝謝你把電腦送我好了。
這樣好嗎？
不好意思啦。
當然好。再說你現在受傷，
而且老是吃外面會營養不均衡。
啊，不過請不要期望太大喔。
因爲我只會做一些簡單的菜。
哪裡，可以吃到冬月老師做的菜就很高興了。
老師早。
✓腦下垂體恩多芬精分泌的聲音
咦？
滴答⋯⋯
哇⋯好像在做夢一樣。
可以嚐到冬月老師的拿手好菜⋯
喔，好興奮呀。
哎唷～～～你那麼期待，會讓人家覺得不好意思，做不出來了啦。
哈哈哈！
那今天晚上我大概7點左右的時候到。
不要給人家太大壓力喔。
不會啦！
阿梓今天晚上要到我家來⋯⋯？而且還要下廚做菜給我吃？哈哈⋯⋯簡直就像在做夢一樣⋯她應該會自己準備圍裙來吧？我要怎麼歡迎她來呢⋯有了，把最棒的葡萄酒拿出來吧。就那瓶80年的尚貝爾登好了。當她穿著圍裙將菜一盤一盤端上桌，我就裝做要幫她忙，趁機輕輕地把手往她腰上攬。但是不能直接碰到，因為男女授受不親。那是像鬼塚那種下流的男人，才做的事⋯

放了安眠
藥的果汁
呼呼
呼呼
!?

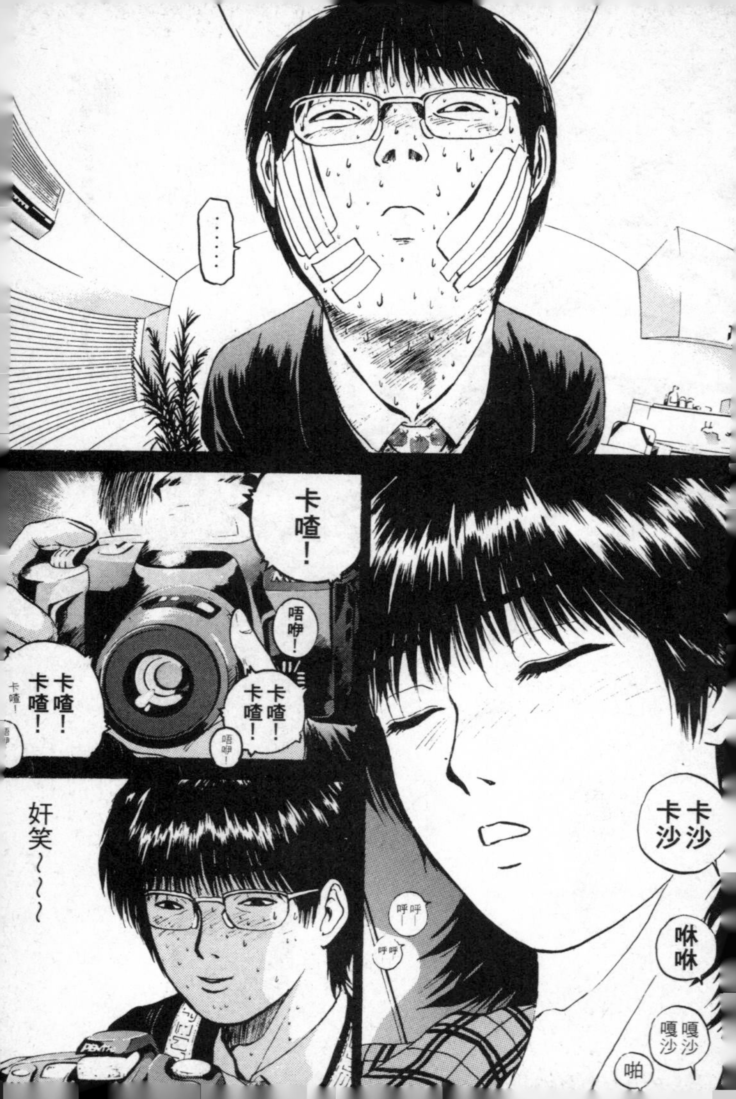
……
卡喳！
唔咿！
卡喳！卡喳！
唔咿！
卡喳！卡喳！
卡喳！
卡沙卡沙
咻咻
嘎沙嘎沙
啪
呼呼
呼呼
奸笑~~~

好……

呼!
好美……

好美!
好美!
嗯，好美!
好美。
好~美~~~
嗯~~~阿梓真是太漂亮了。
呵呵…怎麽有人這麽美?
?
哈!
啊啊，多美麗的妄想呀……
呵呵…就快了。再過不久，我們兩人就可以在一起了。
老師早!
早!
等我把那個下流又白痴，五流大學畢業的男人趕出校園以後…
叮鈴鈴鈴叮鈴鈴鈴叮鈴鈴鈴
喂。啊，會長?
嗯，可以呀。我知道了。
我等妳們來。
聽說鬼塚今天很炫喔。
有空過去看看。
妳等著喔，阿梓。我馬上就要把那個男的趕出校園了。
用對他而言最屈辱的方法…呵呵…呵呵呵呵…呵呵呵呵呵呵呵呵呵呵呵…
唔!
呵呵!

嘰！
嘎喳！
啪咚！
嘎喳嘎喳
啪咚！
卡！
卡！
卡！
卡！
對不起，麻煩幫我聯絡一下校長。
啊？
遞上
太田千鶴
!?
我是「母子教育受害集思會」的太田。
!?
母子教育受害集思會
我們要來視察教學情形……
嚴肅

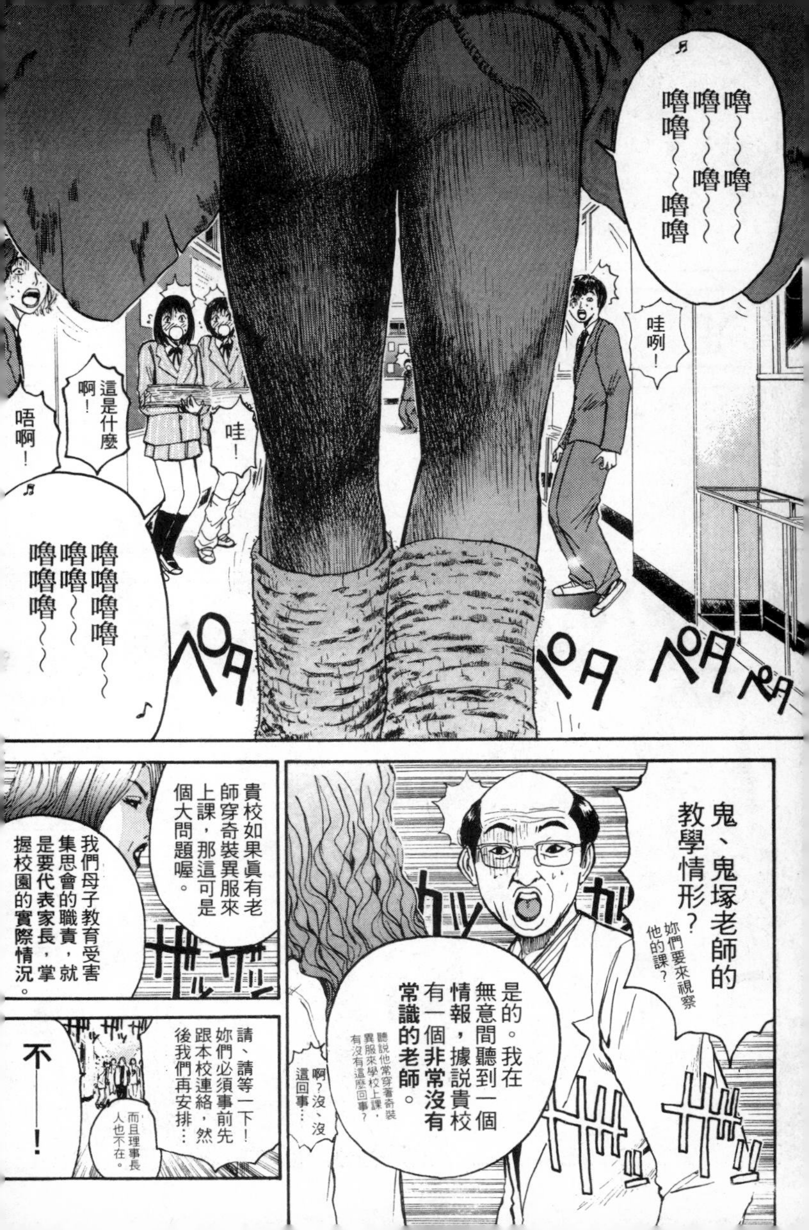
嚕～～嚕～～嚕～～嚕～～嚕嚕～～嚕嚕
哇咧！
這是什麼啊！
哇！
唔啊！
嚕嚕嚕嚕～～嚕嚕～～嚕嚕嚕～～
ペタ ペタ ペタ ペタ
鬼、鬼塚老師的教學情形？
妳們要來視察他的課？
是的。我在無意間聽到一個情報，據說貴校有一個非常沒有常識的老師。
聽說他常穿著奇裝異服來學校上課，有沒有這麼回事？
啊？沒、沒這回事…
貴校如果真有老師穿奇裝異服來上課，那這可是個大問題喔。
我們母子教育受害集思會的職責，就是要代表家長，掌握校園的實際情況。
請、請等一下！妳們必須事前先跟本校連絡，然後我們再安排…
而且理事長人也不在。
不──！

我們要用自己的眼睛去看！
用自——己——的眼睛——！
校長，難道你忘了我先生是都議會議員了……
哪、哪裡，我豈敢忘……
我看這樣吧，大家先坐下來喝杯茶，然後再…
ザッ ザッ ザッ
我們要用自己的眼睛去看！
等、等一下！太、太田太太…
我們不好辦事呀！
ワハハハー
哇塞——！穿這什麼樣子啊！哇哈哈哈！
老師要穿這樣上課——？
講這什麼話？很可愛吧？
這樣不太好吧？
誰敢嫌不好看，我就用這對付他！接招！
哈哈哈！
キャハハ
就是這一班吧？
啊…
等、等一下！太田太太！妳不可以在理事長不在時，擅闖教室…
啊！
ガラッ
3-4

叭……
噢～～嗯！

6月に
大～～～～～～
象，
大～～～
象，
用你的長鼻子……
噴水吧！

看♡
咻！
ビシャッ
啪
！
しーーーん..
嗯？

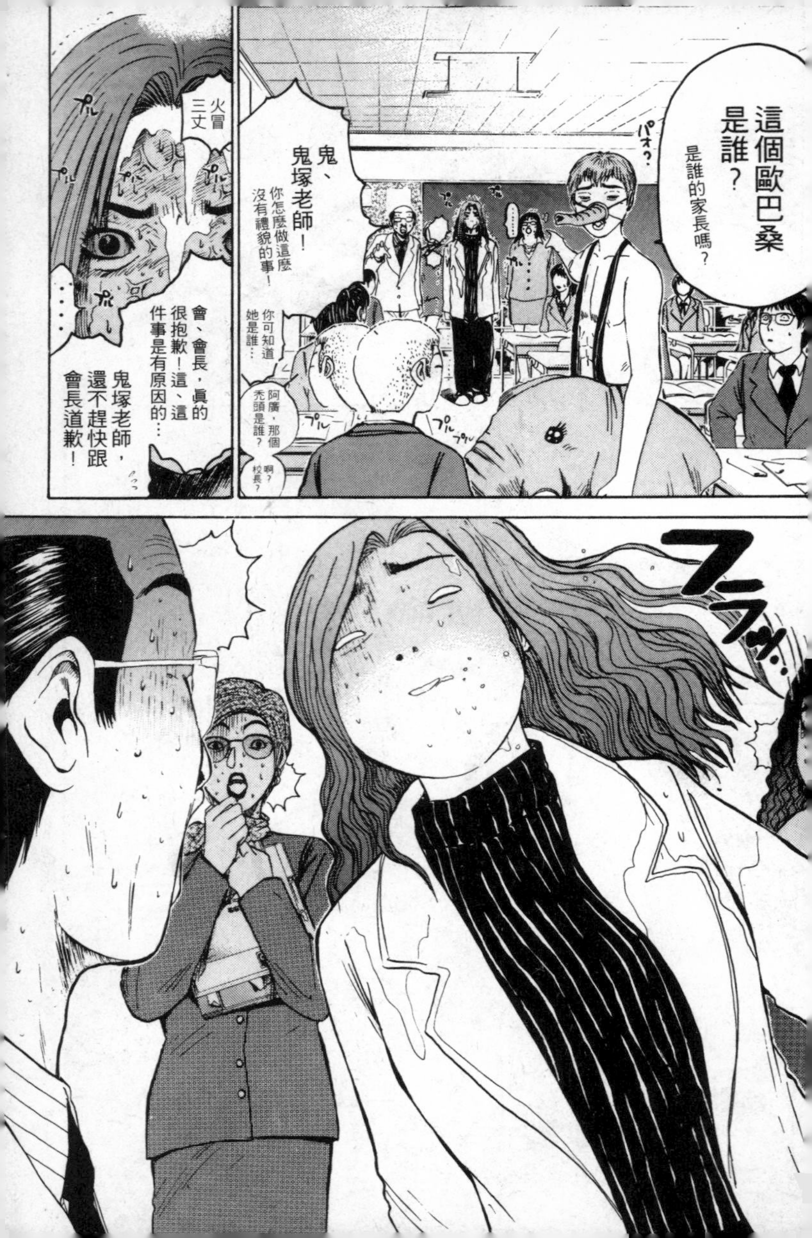

這個歐巴桑是誰？
是誰的家長嗎？
パオ？
鬼、鬼塚老師！
你怎麼做這麼沒有禮貌的事！
你可知道她是誰…
阿廣，那個禿頭是誰？
啊？校長？
火冒三丈
…
會、會長，真的很抱歉！這、這件事是有原因的…
鬼塚老師，還不趕快跟會長道歉！
フラッ…

（第6巻　待續）

〈掲載／1997年発行　週刊少年マガジン第41号から第46号、第48号から第50号まで〉

製作工作人員

細川まこと(Lesson 33～41)
MAKOTO HOSOKAWA

近藤　太郎
TARŌ KONDŌ

藤狗　知弥
CHIHIRO FUJIKOMA

小原　寛志
HIROSHI KOHARA

吉原　陽子
YŌKO YOSHIHARA

土屋　奈朋
NAHO TSUCHIYA

綾峰　欄人(Lesson 33)
RANDO AYAMINE

EDITOR
SHIN KIBAYASHI
KIICHIRŌ SUGAWARA
TOSHIMI HORIKAWA

COMICS EDITOR
NORIKO TAKAHASHI

最終回

—綾峰　欄人—

下定決心當漫畫家，一個人前來東京闖天下已經是6年前的事了。
某專門學校結業後，來到藤沢老師門下當弟子—
之後經過4年半…
綾峰終於要從藤沢工作室畢業了。
綾峰—
要出道了！
現在回想，這4年半説長也不長，説短也不算短…
有苦也有樂，本來是很多話要説的。
但真要講的時候卻又詞窮…
不過我真的很感謝能跟在藤沢老師身邊學漫畫。
綾峰真的是個很幸運的人。
以後我將朝出道努力邁進，
還請各位讀者多多指教。
藤沢老師，有空再一起去喝一杯吧!!

※獎品有可能一個月以後才會送到。

第4集讀者回函贈品中獎名單公佈！

回函總數竟然有 約 2000萬張!!!
、2000座富士山那麼高！
感謝大家寄明信片來！

※基於雜誌公平競爭規約之規定，此次中獎者不得在第4集以外的贈獎活動中獲獎

①夏威夷3天兩夜雙人遊…7名
【福島県】細川マコト 【埼玉県】細川マコト 【神奈川県】細川マコト 【静岡県】細川マコト 【大阪府】細川マコト 【広島県】細川マコト 【福岡県】細川マコト

②南國小島30坪…3名
【栃木県】細川マコト 【長野県】細川マコト 【兵庫県】細川マコト

③暢銷CD3張一套…20名
【北海道】細川マコト 【岩手県】細川マコト 【宮城県】細川マコト 【山形県】細川マコト 【茨城県】細川マコト 【栃木県】細川マコト 【東京都】細川マコト 【神奈川県】細川マコト 【岐阜県】細川マコト 其他11名

④高級熨斗架3件一組…20名
【北海道】細川マコト 其他19名

⑤GTO特製手套&帽子…120名
【秋田県】細川マコト 其他119名

⑥副組長照片…一千名
沒人索取

GTO特別企画（情報王本期：暫停一次）

創造GTO的男人系列第③彈！

再見！栗〇兄

評論：FMGTO主持人：マコト美女

栗〇兄呀…對呀，我怎麼會忘記。1年…2年…不，3年前吧？我在他身上除了學到漫畫的事以外，還了解到酒真正的美好之處。認識他以前我根本只會喝啤酒，認識他以前我跟好多種酒都變成了好朋友。他真的是一位非常優秀的編輯…希望有機會還可以向他請教~~酒~~漫畫方面的事。

▲在新宿某角落的栗 兄

●PROFILE●
栗〇 〇〇〇〇昭和〇〇年〇月〇日出生，〇〇人。深受大家喜愛，每次唱歌必脱衣服，前GTO編輯大人。

栗〇兄，我實現我的承諾了！看到了嗎？

繼續撐到這一回的副組長組

3號助理

土產日記 之2

近藤太郎

太郎，這次休假要去哪裡呀？
回神戸嗎？
沒有，這次我想就在這邊休息就好。
其實我這次眞的想買神戸牛。
アハハハハハハ
上次這個男的買神戸牛奶回來。
哦～～
休假結束
仕事場
早安！
我買了松茸要給大家！
副組長
¥18000—
松茸
お——
你還眞的買土產回來給大家！
而且還是松茸。
這樣好像我很不夠意思似的！
啊，我買了山形牛肉禮盒回來。
おおお——
パチパチ
當天的晚餐，前菜是松茸，主菜是山形牛肉和烤肉，非常豐盛。
帶刺的目光… 雖然很好吃…
土產還是要帶這種的才像話，太郎——！

東京的稻荷神社
到底有沒有狐仙住在裡頭?!
藤狗 知弥
藤狗知彌的助理日記
之二
うりゃあああ
原稿
うわ——い♡
大家一定會很高興!GTO要被改編成電影了!
而且還是好萊塢哦!
握
組長
我
副組長
小原哥
太郎哥
TAKESHI
藤
導演是喬治盧卡斯!
うおお
阿梓老師希拉蕊演!
鬼塚由布萊德彼特演!
森高老師是瑪麗蓮夢露!
訓導主任是內山田廣志!
友情演出武田鐵夫!
うおおお
然後學生是
SPEED!!
的4個人演!!
咻!
什麼?
SPEED的歌迷
那開會時可以見到面?
我還要準備相機!
我要去買簽名板!
也許可以握手!
哇—
也許不只
搞不好還可以那個…
工作中
去把他叫起來
SPEED♡
騙人的。其實我還是很認真工作的。

戰地奇兵
第二戰　燃燒的內臟
TEAM FUJISAWA ASSISTANT №.6 土屋・N
小原 寬志
ゴゴゴ
前幾天工作完後大家一起去吃麻辣拉麵。
ひーっ
吃飽了！
剩下湯面子掛不住哦。
冰淇淋太好吃了！
吃吧。
土屋妳都沒事？
沒事，我可是東京長大的小孩！
翌日
咦？土屋咧？
不舒服在休息室。

茶泡飯♥
配茶
白飯
GTO
白飯普及運動會長
吉原 陽子
各位，決定卷末漫畫要畫什麼了嗎？
我要畫莎喲那啦副組長。
我要畫妖怪。
はーくら
老師
我要畫畢業和旅行。
我要畫拉麵。
ワイ
ワイ
土產日記2。
我要畫床。
啊！糟糕！
我雖還沒決定好，但一定不輸給你們！
我才不會輸給妳！
自相殘殺無妨，不要打死人就好！
ははははは
老師→
這小子！
看看吧。我一定要讓大家瞧瞧我的厲害…
ガハッハッハッハッ…
哇哈哈哈…
卷末漫畫畫好了沒呀？
老師
明天就截止了哦。
嗯—你們真是可靠的好夥伴！
也就是說我們全都畫好了！
老師→
我乾脆
死算了…
我只剩網點貼完就好了。
我有靈界的力量附身！
本來3天前就應該完成。
用盡吃奶力氣！
我從前天就開始熬夜，終於把它趕出來了。
我早就畫好了，老師！
我不敢講我還沒畫好…
菜鳥還敢拖稿…

大家好，我是新來的TAKESHI。
前幾天送來了一個上下鋪的床鋪。
天然木
イエーイ
わーい
也就是說，從今天起要住在這裡。
はーい♥
は…！
咦！
我的睡相天下超級難看！
ギリギリ
磨牙聲
抓癢
啊！不過，只要不睡，人家就不會發現我睡相難看了呀♡
他們也不會知道我會磨牙和流口水。
ゴキュゴキュゴキュゴキュゴキュ
よーし
所以我一次都還沒有睡過。
唉—買這上下鋪的床真是太可惜了。
ヘケッ♥

※好—！

土屋

6号助理
21歲
興趣
柏青哥
麻將
柏青嫂
賭馬(德貝賽馬)

耶～！奈奈在看唷～

土屋 奈朋

P9-BIK-536

KC19205

麻辣教師 GTO ⑤

原名：GTO⑤

行政院新聞局局版北市業字第 855 號
■作　　者　藤沢　亨
■譯　　者　李其馨
■執行編輯　王舒俞
■發 行 人　范萬楠
■發 行 所　東立出版社有限公司
台北市承德路二段 81 號 10 樓
☎(02)25587277　FAX(02)25587281
■劃撥帳號　1085042-7（東立出版社有限公司）
■劃撥專線　(02)28100720
■印　　刷　嘉良印刷實業股份有限公司
■裝　　訂　台興印刷裝訂股份有限公司
■法律顧問　曾森雄律師　曲麗華律師
■1998 年 7 月 20 日第 1 刷發行

日本講談社正式授權台灣中文版

(Great Teacher Onizuka) © 1998 Toru Fujisawa
All rights reserved
First published in Japan in 1998 by Kodansha Ltd., Tokyo.
Chinese version published by Tong Li under licence from Kodansha Ltd.

版權所有・翻印必究
■本書若有破損、缺頁請寄回編輯部

ISBN 957-34-5929-9　定價：NT75 元